01-15

W9-BZU-144

DIARIO DE UNA FRIKI

LAS INVENCIBLES LA LÍAN PARDA

(¡UNA VEZ MÁS!)

Primera edición: noviembre de 2013

© 2013, Random House Mondadori, S.A.
Travessera de Gràcia 47-49, 08021, Barcelona

© 2013, Anna Cammany, por el texto
© 2013, Àlex López López, por las ilustraciones

Diseño y maquetación: Xavier Peralta, para Blla, SL.

Quedan prohibidos, dentro de los límites establecidos en la ley y bajo
los apercibimientos legalmente previstos, la reproducción total o parcial de esta
obra por cualquier medio o procedimiento, ya sea electrónico o mecánico, el
tratamiento informático, el alquiler o cualquier otra forma de cesión de la obra sin la
autorización previa y por escrito de los titulares del copyright. Diríjase a CEDRO
(Centro Español de Derechos Reprográficos, http://www.cedro.org) si necesita
fotocopiar o escanear algún fragmento de esta obra.

Printed in Spain - Impreso en España

ISBN: 978-84-9043-068-2
Depósito legal: B-22387-2013

Impreso en Cayfosa

GT 30682

DIARIO DE UNA FRIKI

LAS INVENCIBLES LA LÍAN PARDA

(¡UNA VEZ MÁS!)

ANNA CAMMANY
Y ÀLEX LÓPEZ

montena

Domingo, 22 de diciembre

¡Navidad, Navidad, dulce Navidad!

La alegría de est...

¡Y UN JAMÓN MARRÓN!

Estas Navidades, con mamá sin trabajo, papá haciendo horas extras y todos ahorrando para arreglar el coche, están siendo un poco muermo... ¡No hemos salido ni un día de la ciudad!

Bueno, supongo que no puedo quejarme mucho ya que solo hace DOS DÍAS que acabé el primer trimestre en el Instituto. **¡JAJA!** ☺

No, ahora en serio, aunque no sé si papá y mamá están para muchas fiestas, yo me siento la mar de feliz de estar de **¡VACACIONEEEEEEEEEEESSSS!** Y, aunque no salgamos de la ciudad, espero pasármelo bomba. Ya te iré contando.

Lunes, 23 de diciembre

Esta tarde he quedado con Ana y Choco (¡Las Invencibles en Navidad!) para hacer un poco de NADA de la mejor manera que sabemos: ¡Bla bla bla! ¡En eso somos las mejores! El momento álgido ha sido cuando les he contado que había soñado que los Reyes me traían un oso polar pequeñito y nos ha dado por preguntarnos por qué nunca, ni de pequeñas, ni de mayores, pedimos lo que **REALMENTE NOS GUSTARÍA RECIBIR.** Como por ejemplo, un helicóptero, o un millón de euros.

QUERIDOS REYES MAGOS, ESTE AÑO ME GUSTARÍA QUE ME TRAJÉRAIS: UN MILLÓN DE EUROS. (Para mis cositas.) ¡¡¡MUCHAS GRACIAS!!!

La razón principal en la que hemos estado de acuerdo ha sido que, tal vez, si todo el mundo pidiera su millón, el mundo no funcionaría (y eso lo intuimos a cualquier edad). ¡Nadie trabajaría!

Y si nadie trabajase, ¡no habría comida! ¡Y no habría conductores de autobús! ¡Ni gente que vendiera cosas! ¡Ni gente que fabricara las cosas! **¡Sería el caos!**

Conclusión: Los chicos y chicas de hoy en día pedimos libros, móviles, zapatillas y mochilas **PARA PROTEGER AL MUNDO DE SU DESTRUCCIÓN.**

Después de tan increíble ejercicio de pensamiento, hemos intentado hacer LA CARTA A LOS REYES SIN MIEDO Y SIN PRUDENCIA. Para saber lo que REALMENTE deseamos tener. Y ha quedado así:

Choco: Un globo aerostático con todos los complementos. Una cuerda muy gruesa y muy larga para tenerlo atado al balcón. Una moto. Un circuito privado para conducir una moto. Un hotel dentro del circuito para que pueda dormir toda la gente que Choco quiera. Nada más, gracias.

Ana: Una peli protagonizada por nuestros
        actores y actrices favoritos en la que se
        cuenten las aventuras de las Invencibles.
        (yo escribiré el guión). Una biblioteca
        entera. El edificio y los libros. Y un
        bolígrafo azul. Gracias.

Yo: Un camión lleno de material para hacer
        manualidades. Un helicóptero azul. Un
        viaje al desierto con las Invencibles. Tres
        camellos (rápidos). Un delfín. Un rincón
        de mar. Un gorila. Una selva. Un caballo.
        Un koala. Un camaleón. Un eri...

En este punto ha entrado mamá a decirnos
que bajaba a comprar. Me ha pedido que no me
olvidara de preguntarles **AQUELLO** a mis amigas
y se ha ido.

Ana: ¿Que nos preguntaras qué?

Yo: Cada año mis padres hacen de pajes
        reales en el hospital de papá. Me han
        pedido si este año queremos hacerlo
        nosotras.

Choco: ¿Tu padre tiene un hospital?

Yo: Sí, y un parque de atracciones y un
        estadio de fútbol. Se lo pidió el año
        pasado a los Reyes.

Choco: No te rías...

Yo: No, mi padre trabaja en un hospital,
        de enfermero. Y a veces, de paje real.

Ana: Y lo de hacerlo nosotras... ¿Lo dices
        en serio?

Y se lo he explicado bien: se trata de ayudar
a repartir los regalos a los niños que están ese
día en el hospital, vestidas de pajes reales.
¿Les apetecía?

Tenías que haber visto sus caras. Parecía
que tuvieran cuatro años. Y no por los mocos
cayendo, no. Por la ilusión: las dos han dicho que
sí con extra de motivación y doble de entusiasmo.

5 de enero:
Una nueva misión para
¡LAS
INVENCIBLES!

Martes, 24 de diciembre

Hoy me he estado escribiendo
con Fabián. Mi primer
compañero de mesa de
1.º de ESO, y el primer
amigo que hice en
clase. Tengo en la
mesilla de noche la
increíble agenda que
me regaló para el amigo
invisible y siempre que la miro
encuentro algún detallito que no había visto.
Hoy me he dado cuenta de que marzo tiene el
día "menos 1 de marzo, senreiv. (que es "viernes"
girado)... Un día apropiado para estar negativa
y hacerlo todo al revés". ☺

Fabián me ha contado que, finalmente, estas
Navidades se ha ido a la casa que tienen sus
padres en la montaña y que no nos podremos
ver. Me ha mandado una foto monísima que se
hizo mientras decoraban el árbol de Navidad...

SuperFabián
en Navidad,
jaja.

Me encanta hablar con él. No es como una Invencible pero también es simpático, interesante y... no sé. Me gusta, ya lo sabes. ☺

Por cierto, hoy es Nochebuena. Hasta el año pasado siempre íbamos a casa de la abuela Paqui a celebrarlo con un hartón de comida. Este año,

como a papá le ha tocado guardia ☹ y la abuela
vive con nosotros, haremos mañana el gran
festín en nuestra casa.

Yo he aprovechado la noche para acabar
mi propuesta para el concurso familiar de
NEOTURRONES de mañana. Mamá, papá y la
abuela hicieron sus turrones ayer y Manu creo
que no se presenta este año.

¡RA, RA, RA, LÍA GANARÁ!

Miércoles, 25 de diciembre
¡NAVIDAD!

Mañana de hablar bajito y con prohibición de poner música. (Cuando papá ha trabajado por la noche, duerme hasta media mañana.)

Desde primera hora, mamá está en la cocina a las órdenes de la abuela.

Cuando la abuela se vino a casa hace unos meses pactamos que sería una ayuda mutua: el dinero de su piso alquilado nos iría muy bien para compensar la falta de trabajo de mamá. A la vez, ella (y su perrito Lentejas) se sentirían más acompañados. Creo que el pacto está un poco descompensado porque nos ayuda muchísimo más ella a nosotros que nosotros a ella. ¡Y a Lentejas nunca le ha gustado nuestra compañía! A pesar de todo, creo que fue una gran decisión porque la veo contenta.

A media mañana, precisamente ella ha preguntado si sabíamos con quién come nuestro vecino, al que llamamos cariñosamente Ex Sr. Penoso. Ni papá ni mamá ni yo lo sabíamos pero hemos supuesto que, como el resto de días, se lo pasará solo, leyendo o mirando la televisión. ¿Cómo va a hacer algo especial alguien que es capaz de poner este cartel en el vestíbulo del edificio?:

HE GUARDADO LA NAVIDAD EN EL DESVÁN Y ME HE COMIDO LA LLAVE*

*Sé que ha sido él porque reconozco su letra.

La abuela ha sugerido que yo bajara a preguntarle si quería unirse a nuestra fiesta. Ha dicho que era lo mínimo que debíamos hacer por alguien que tiene la pierna rota y que apenas se puede mover...

Y así lo he hecho. He bajado a verle. La casa sigue igual de caótica que siempre y él me ha vuelto a recibir con bata y pantuflas. (Él sigue sin saber que yo sé que él me vino a ver en la presentación de final del trimestre. A veces me pregunto si no fue un espejismo).

Yo: Mi familia quiere saber si le apetecería celebrar con nosotros la comida de Navidad.

Sr. P: ¿La Navidad de ESTE año?

Yo: Bueno, sí. ☺ La de hoy. Puede subir con bata y pantuflas, si quiere. (Esto no sé si tenía que haberlo dicho.) ¿Le apetece?

Sr. P: ¿A ti que te parece? ¿Me apetece?

Yo: No sé. Es divertido. Estamos nosotros y también viene mi tía Rosi con mi primo de dos años, y un novio que aún no conocemos. Puede estar bien.

Sr. P: ¡¡Uy sí!! Muy bien. ¡Qué chulo! Chachi piruli...
         ¡Claro que NO me apetece...! Diles a tus
         padres que muchas gracias por la
         invitación. Que tal vez, en otra vida, me
         lo pienso...

Yo: Bueno, en realidad la que lo ha propuesto
         ha sido mi abuela.

Sr. P: Pues le dices eso mismo a esa señora tan mayor, también.

Yo: Vale, pues adiós. Feliz Navidad.

He subido y les he dicho a todos que me ha agradecido muchísimo la invitación pero que prefería quedarse en casa porque le dolía la pierna. (Espero que los Reyes no me tengan en cuenta la pequeña mentirijilla. Jaja.)

Al volver a casa, la tía Rosi ya había llegado. Me ha presentado a su nuevo novio, un hombre bastante guapo llamado Marcelo que ha estado contando chistes malos todo el día y solo se ha separado de la tía cuando ella ha ido al baño. (¡Creo que TAMBIÉN quería acompañarla pero ella no le ha dejado!) Él la miraba con ojitos de amor pero ella le ha dicho cuatro o cinco veces que era un "pesadito". Yo no veo a la tía muy enamorada pero... ¿¡Qué sé yo!?

Durante la comida, como cada año, hemos puesto en la mesa el ordenador de Manu, como si fuera uno más de la familia. Hemos conectado

la webcam y hemos charlado atropelladamente
con los abuelos de Luxemburgo (que viven
en Luxemburgo pero nacieron aquí). Hemos
comido y brindado con ellos, y a media comida,
como es tradición, uno a uno, hemos pasado
a dar besos a la pantalla de Manu, que no
paraba de quejarse, limpiando las babas con
la manga de su camisa. Nos han dicho que
esperan poder venir pronto, pero que el abuelo

anda débil de salud después del último susto
y prefieren esperar. Supongo que mamá irá
algún día a hacerles una visita.

Aparte de disfrutar viéndonos a todos
contentos alrededor de una mesa, lo que más les
ha ilusionado ha sido ver a la tía con un novio.

Marcelo

Tía Rosi

Lía

(Es que son un poco chapados a la antigua. Hace
dos años les costó un horror aceptar que la tía
tendría a su hijo Juan sin tener novio, siquiera.)

Abuela: ¿Y no me presentas a este señor, Rosita?

Marcelo: Me llamo Marcelo, señora, encantado de conocer a quien parió tan bella mujer.

Abuela y abuelo: ¿¿Cómo??

Marcelo: ¡Que ENCANTADO!

Abuela: Encantada también. Cuida mucho a mi hija y a mi nieto. ¿Para cuándo la boda?

Tía Rosi: ¡¡Mamá!! ¡Que no hay boda! ¡Que yo no me caso con nadie!

Abuela: Bueno, vale, esto ya lo hablaremos, lo importante es que hayas conocido a este hombre y que quieras pasar el resto de tu vida con él. ☺

A los abuelos de Luxemburgo les veo solo dos veces al año, pero les quiero mucho y les echo un poco de menos. Son frágiles, muy diferentes a la abuela Paqui, que parece mucho más joven porque no para ni un momento, pero son cariñosos y, a su manera, divertidos.

Se fueron hace años a hacer una cura de aguas medicinales a Luxemburgo, y allí se quedaron.

Para mamá y la tía Rosi lo del agua fue un engaño escandaloso de una agencia de viajes "especializada" en salud. Pero como el abuelo cree que sus pulmones se curaron gracias a ese agua... pues no han querido volver jamás a vivir al país donde nacieron.*

*Aclaración: el agua no es de un manantial perdido en los montes. NO. El agua de Luxemburgo es agua del GRIFO de la ciudad de Luxemburgo. Y sabe igual de mal que la de aquí. Cuando yo era pequeña pensaba que ese agua transmitía poderes. Un día bebí tantísima que me acabé haciendo pipí en un autobús. (Siempre digo que tenía cuatro años pero en realidad tenía siete. #Oleyo)

Como cada año, la comida estaba riquísima y nos lo hemos pasado bien. Mamá, la tía y la abuela Paqui han hecho propuestas cada vez más raras (¿o más serias?) para intentar cambiar el mundo (¿Pagar con horas y no con dinero? ¿Un pequeño campo de cultivo para cada persona en el mundo? ¿¿Nudismo obligatorio?!) Yo he propuesto lo del millón de euros para todos y efectivamente, han pensado que contaba un

chiste malo. Manu y Marcelo sí que se han retado
a ver quién contaba el peor chiste y, por suerte,
como los malos se acababan, han empezado con
los buenos y nos hemos reído bastante.

Érase una vez un chiste tan malo tan malo tan
malo... ¡que pegaba a los chistes más pequeños!
Pfffff...

Y hablando de pequeños, como era previsible, yo he sido la encargada de vigilar que mi queridito primo Juan de dieciocho meses no se matara mientras corría detrás de Rich, Lentejas y Cocodrolo (es su actividad favorita). Los bichos están tan agotados que ahora duermen, juntos, debajo de mi cama.

Finalmente, por fin, ha llegado la hora del concurso anual de **NEOTURRONES.**
Yo he presentado el "Turrón agridulce de pizza y langostinos", Manu el "Turrón de chocolate al estilo del súper" (que no era nada más que una barra de turrón del súper aunque él haya perjurado que no), papá y mamá han presentado "Turrón esférico de mazapán, limón y sorpresas invisibles" (era esférico porque era una gran bola y las sorpresas invisibles aún las estamos buscando). Por su parte, la abuela había preparado un "Turrón de fresa con garbanzo dulce y castaña" y tía Rosi no había tenido tiempo de hacer nada.

Los hemos ido probando y puntuando todos hasta que Marcelo nos ha interrumpido para

quejarse del mío: le había puesto pimiento rojo
y a Marcelo le han empezado a salir unas ronchas
rojas y ha dicho que le costaba respirar porque
es alérgico. Se han tenido que ir corriendo
al hospital y la Navidad se ha acabado así,
de sopetón.

Mamá, al coger al niño, se ha dado cuenta de que
Juan se había puesto a Cocodrolo dentro de
los pantalones... "¡Coco Dolo! ¡Coco Dolo nene!",

gritaba... (es igual que yo de pequeñaaa, snif, loca por todo bicho viviente.)

Bueno. Se ve que Marcelo ya está bien. Antes de que le salieran las ronchas iban empatados mi turrón salado y el turrón esférico de mamá y papá. O sea que, merecidamente, me puedo considerar **GANADORA.** (El año pasado quedé segunda con mi "Turrón no comestible de plástico de colores y olor a fresa" y el anterior fracasé del todo con el "Turrón de palomitas con cobertura de mayonesa verde"). La abuela ha estado de morros toda la noche porque nadie le había votado y porque los abuelos de Luxemburgo habían dado su voto de honor "Al turron al estilo del súper" de su nieto mayor preferido.

Por la noche, en la cama, he hablado con mamá.

Yo: ¿Por qué los abuelos se quedan en un país que no es el suyo sin ver a su familia, solo por el agua? ¿No estarían mejor aquí?

Mamá: Se llama superstición. Los abuelos no estudiaron mucho en su vida, no pudieron. Esto hace que se crean cosas que les hacen daño porque no son capaces de verlo de otra manera.

Yo: ¿Creer que un número o una pulsera te da suerte es superstición?

Mamá: Un poco. No es malo siempre que no hagas cosas estúpidas por ese número o esa pulsera. No tiene sentido depender de algo o alguien. Y menos si no ha hecho nada por ti...

Yo: Como el agua de Luxemburgo.

Mamá: Exacto. Feliz Navidad, amor.

Yo: Feliz Navidad.

Viernes, 27 de diciembre

¡No te lo pierdas! **¡Mamá se escribe mensajes con los padres del resto de la clase!**
Son mensajes tontos como: "¿A alguien le suena si el 16 de enero es fiesta en el Instituto?" Cosas así. (Vaya, eso espero.)
Yo no sabía que se escribían hasta esta mañana, cuando mamá recibió un mensaje que le hizo reír mucho. Le pregunté de quién era y soltó: "Nada, nada. El padre de Patricia Soler, ¡que dice unas tonterías...! Es un insolente pero muy divertido."

¡AAAAAAHHHHH! ¿El padre de Patricia Soler? ¿De Penosa Soler en persona? ¿¡La chica más insoportable de la clase!?

Le he pedido a mamá que por favor cortara cualquier relación con ellos. Pero mamá me ha dicho que no hay vuelta atrás. Han creado un grupo de padres y madres y es muy útil.

—¡Por cierto! —ha dicho mamá—, me ha explicado un pajarito que el colgante de plata no te lo compraste en un mercadillo...

Yo: (¡Ups!) ¿Quién te lo ha dicho?
Mamá: La madre de Roberto Bentley...

Mamá ha sonreído, cómplice. Ahora ya sabe que Roberto me hizo un regalo especial. Y también sabe que siento algo especial por Roberto, PRECISAMENTE porque no se lo conté. **Pfff.** ¿Es que no puedo tener secretos? Suerte que te tengo a ti, diario...

Miércoles, 1 de enero

Ayer, fin de año. Un fin de año diferente porque papá volvía a tener guardia (pidió trabajar los festivos porque pagan más) y ni la abuela ni Manu se quedaban a cenar porque se iban con sus amigos. El ambientazo de fiesta en casa era más o menos así:

Cocodrolo, Rich y Lentejas listos para la fiesta.

Como a las dos nos gusta el fin de año y no es fácil quitarnos las ganas de fiesta, mamá y yo decidimos irnos a tomar las uvas a la plaza. Yo, como además de "fiestera" tengo la crisis

incrustada en la cabeza, tuve una NUEVA
IDEA PARA GANAR DINERO que contó con
la aprobación y colaboración de mamá.

Nos plantamos a las once y cuarto en la plaza
del reloj y yo llevaba un cartel colgando con
un mensaje comercial.

¡EXITAZO!

¡Me saqué trece euros
y a las doce menos
cinco cerré el negocio.
¡Soy una emprendedora
con ~~bastante~~ mucho
futuro en este nuevo
año que empieza! ☺

12 UVAS
PELADAS
POR 0'50€
(¡LO HE HECHO
CON GUANTES!)

Domingo, 5 de enero

Llegó el día. Por fin las Invencibles nos hemos convertido por un día en **"Las Mágicas Invencibles, ayudantes de los Reyes Magos."**

Hemos ido las tres juntas al hospital y allí, en una consulta, nos hemos puesto los magníficos vestidos que nos tenían preparados. ¡Estábamos guapísimas! Choco con una túnica granate y un pañuelo verde en la cabeza (estilo lechuguino). Ana con un traje dorado (estilo Aladdin) y yo con una túnica verde y un gran turbante plateado con una pluma azul (estilo paje auténtica, jaja). Al cabo de poco ha entrado Melchor, el Rey de la barba blanca rizada que se había arreglado un poco dentro del baño. Era altísimo y tenía los ojos azul turquesa. Con una voz grave nos ha dicho: "Sed amables, estad tranquilas y hablad lo menos posible. Gracias por acompañarme. Vosotras sacaréis los regalos de la bolsa y yo los iré entregando a los niños."

Hemos salido al pasillo, y toda la gente de la planta nos miraba con una gran sonrisa. Paseando lentamente hemos llegado hasta una gran sala de juegos donde había muchos niños con el pijama del hospital, acompañados de sus padres y madres. Alguno iba con un gotero enganchado en el brazo, había algunos sin pelo o en silla de ruedas... pero todos estaban suficientemente bien como para sonreír y olvidarse del hospital, aunque solo fuera por media hora.

A las Invencibles nos miraban alucinados, como si nosotras las Invencibles pajes también hubiésemos venido de la otra punta del mundo. Alguno de los más pequeños se ha puesto a llorar, impresionados al ver y oír a Melchor en persona. Pero no todos lo vivían de la misma forma: Un niño de unos siete u ocho años nos miraba desconfiado y se ha atrevido a hablar con el Rey. Su pregunta nos ha descolocado a todos:

El niño: ¿Quién es más poderoso, tú
            o Supermán?
Melchor se ha parado a pensar su respuesta.

Melchor: Bueno, mmm, a ver, la última vez
que hicimos un pulso quedamos
empatados....

Creo que todos los de la sala hemos pensado:
¡UALA!

El niño: Pero... Supermán es un personaje
inventado. ¿Cómo puedes hacer un
pulso con alguien que no existe?

Y todos los padres, enfermeros y pajes
hemos tragado saliva nerviosos porque el niño

tenía bastante razón... Melchor, con su voz contundente, ha respondido muy tranquilo:

Melchor: No puedo creer que me estés preguntando esto. ¡Soy mago! ¡Un Rey mago! Tengo la capacidad de entrar en el Reino de la Fantasía y hacer pulsos con todos los que viven ahí! Me encantó conocer a Supermán en el Baile Anual. Es un tipo muy majo...

Se ha hecho el silencio. El niño se ha quedado pensativo y ha hablado por última vez:

El niño: Vaya, qué chollo, ser Rey Mago...

Melchor le ha sonreído y ha cogido un regalo que yo tenía en las manos.

Melchor: Bueno, bueno, bueno... ¿Hay algún niño por aquí que se llame Luis Alberto Jaramillo?

Y así ha empezado la entrega de regalos. Mientras Melchor procedía, una niña con el brazo en cabestrillo que debía de tener unos cinco años se ha acercado a nosotras y nos ha preguntado si éramos las Reinas Magas. Las Invencibles hemos sonreído y le hemos dicho que no. Que solo acompañábamos a Melchor.

La niña: ¿Pero tenéis poderes?
Y aquí Choco nos ha sorprendido, porque se ha acercado a la niña, le ha puesto la mano en la oreja y le ha sacado un caramelo.

Jaja. Muy bueno. ¡Choco y sus habilidades escondidas! El problema ha sido que muchos niños han empezado a pedirnos caramelos y se ha desatado una pequeña revolución que ni Ana ni Choco ni yo sabíamos cómo controlar. Suerte que Melchor ha llamado al orden, ha empezado a sacar caramelos de todas las orejas y todo ha acabado bien.

Hace rato que he llegado del hospital. Ha sido muy emocionante, aunque pienso que esos niños deberían estar en sus casas, sanos, en vez de estar allí.

Es todo muy raro. Un Rey Mago que ha venido en camello desde la otra parte del mundo les trae el regalo que pidieron mediante una carta sin sello... Me pregunto si alguno de ellos ha pedido un helicóptero para que les saque de allí. O una poción mágica que les cure de una vez. Y supongo que la respuesta vuelve a ser NO. Esto tampoco podemos pedirlo a los Reyes. Porque en el fondo sabemos que no pueden cumplir TODOS los deseos. Nadie puede.
Me quedo pensativa sin poder dormir...
Aunque... Ahora sí, me duer...

Lunes, 6 de enero

Me he despertado hacia las nueve y me he parado a escuchar atentamente para averiguar si había alguien levantado en casa. Oía ruidos raros, rarísimos, como si alguien estuviera preparando un desayuno con los cascabeles y los adornos del árbol de Navidad.

Al sacar la cabeza he visto que los ruidos venían de Rich, Lentejas y Cocodrolo, que ya habían abierto sus regalos y no paraban de reírse y charlar. **¡Jaja! ¡Ya me gustaría!** Me pregunto qué se dirían...

Rich: ¡Uala, unos cascabeles de colores! ¡No veas cómo se mueven!

Lentejas: No entiendo cómo eres tan mamarracho de jugar con esto. ¿Tú has visto mi hueso falso? Eso sí que es un regalazo.

Cocodrolo: Tus cascabeles me dan dolor de cabeza y tu hueso huele mal.

¡Lechuguitaaaaa, lechuguitaaa pa mí!

Nos vemos en la terraza.

Rich: ¡Anda! ¡Anda! Si le das con una

pata y después con la otra... ¡Doble

diversión!

Que monos mis bichitos. Ojalá pudiera

entenderlos.

Cuando me he levantado, he visto que papá,

mamá y la abuela estaban charlando en la cocina.

En el salón me pareció ver, como cada año, los

paquetes envueltos encima del sofá. **¡Bien!**

A pesar de la crisis y las malas noticias, ¡no nos hemos quedado sin regalos! Pero... ¡uy!, como casi cada año... Ni rastro de Manu. Y si no estamos todos, no se pueden abrir...

He ido corriendo hacia su habitación y he entrado sigilosamente. Me he acercado a su oreja y le he dado unos golpecitos suaves con la manga del pijama. ¡Ji, ji!. Naturalmente, se ha pensado que mi manga era Rich y ha intentado apartar su pata con la mano. Cuando a mí se me ha escapado la risa, Manu ha abierto un ojo.

Yo: ¡El comedor está lleno de paquetes!
Manu: Jolín, Lía, quiero dormir un poco más...
Yo: Vaa... Hazlo por mí... Sal un momento
            y después te vuelves... Porfiiiiii, venga,
            por favor... ¡Hay uno muy bonito con tu
            nombre!

En el fondo del fondo del fondo mi hermano me quiere. Se ha levantado sin poder apenas abrir los ojos y me ha acompañado al salón, donde todos esperaban contentos. Ahí, detrás del mueble de las copas... había algo muuuuy grande... Me he acercado y al verlo no me lo podía creer...

¡TRES FLAMANTES BICICLETAS
DE MONTAÑA COMO LA DE MANU!
¡Uala!

Mamá: Una para ti, una para papá y la otra para mí...

Primero he saltado de alegría pero al mirarlas más de cerca me he dado cuenta de un pequeño detalle: eran bicicletas usadas. De segunda mano. Llenas de rayajos y golpes. Una llevaba una pegatina, creo que de las Olimpiadas de Atenas 2004.

Papá: ¡No las mires así! ¡Los Reyes también están a favor del reciclaje!

Yo: ¿Cuál es la mía?

Mamá: La que tú quieras. ¿No estás contenta?

Papá: Que sean de segunda mano no quiere decir que no sean buenas... ¡LO son! Si han aguantado diez años es que son MUY buenas...

Y entonces ha intervenido Manu, muy serio:

Manu: ¿Pero exactamente qué significa esto? ¿Significa que ahora que me estoy sacando el carnet de conducir no vais a arreglar el coche? *

*Aclaración: el coche se nos estropeó antes de Navidad cuando lo metimos en un túnel de lavado y se abrieron las ventanillas por error. Arreglarlo es muy caro.

Respuesta de papá y mamá a Manu:

—Si nos pasamos todos a la bicicleta: haremos todos más ejercicio + gastaremos menos + no contaminaremos el planeta = seremos más felices. Fin del asunto.

Yo no soy una forofa del deporte. No es que me disguste, pero no se me da bien porque me canso mucho. Demasiado. Ver deporte por la tele tampoco es lo que da sentido a mi vida, aunque a veces me gusta ver algún partido con la familia porque es la única manera de gritar como una loca en casa y de VER GRITAR a papá, mamá, la abuela y Manu como no lo hacen en ninguna otra parte.

Deportes que me gustan. De más a menos:
- Tiro al Manu.
- Salto a la cama.
- Levantamiento de mascotas.
- Plinton (modalidad mental).
- Tenis de mesilla de noche.
- Mini-golfa.

Y creo que ya está. Jiji. ☺

Después del sorpresón de las bicis, hemos seguido abriendo paquetes todos a la vez y con prisas: un nuevo supermóvil para Manu (!), un bonito gorro para la abuela, unas botas de montaña para papá, una armónica para mamá (sí, aún estoy en shock), una sudadera con un oso panda para mí y más cositas que ahora no recuerdo...

Como yo no podía esperar a probar mi nuevo cacharro, hemos sacado las tres bicis a la calle y hemos dado una vuelta por la plaza. La mía hacía clonc—clonc, la de mamá tenía una rueda sin aire y la de papá no frenaba mucho. A pesar de eso, nos hemos reído y creo que esta nueva etapa que empieza puede ser... mmm... pues... te lo digo otro día.

Antes de comer, mamá ha dicho que se había olvidado de darme dos paquetes que habían llegado de Luxemburgo. He abierto el pequeño primero y era un monedero bastante bonito. (Si le quito las borlas doradas y lo pinto de negro será estupendo ☹). El segundo paquete, más

grande, y mejor envuelto lo he dejado sin abrir.
No hace falta. Sé perfectamente lo que es:
un garrafón de *Leitungswasser*. Agua del grifo
de Luxemburgo para que se curen los males que
no tengo y los que no tendré.

#¡¡¡Olelamonarquíamágica!!!

Miércoles, 8 de enero

¡De vuelta al Instituto!

Hemos ido con papá en bici aunque la última calle
la he recorrido sola. Al llegar, la he aparcado en
el párking de bicis de la esquina. He comprobado
cuatrocientas veces que el candado quedaba
bien puesto y en una de estas comprobaciones
alguien ha aparcado a mi lado con un cohete
plateado que solo recordaba a una bici porque
tenía timbre. Una Mountain Bike que puesta al
lado de la mía parecía el choque imposible de
dos épocas. Cómo no, pertenecía a mi querido
ROBERTO BENTLEY.

Nos ha hecho mucha ilusión vernos. De hecho,
hoy me había puesto el colgante que me regaló
el último día de curso. Quedaba un poco raro con
mi nueva sudadera del oso panda pero quería
que me lo viera puesto. Me ha dicho que había
estado en Inglaterra, con un frío que se moría,
pero que se lo había pasado bien. Tenía el pelo

más corto e iba todo de estreno. Un clásico
después de Navidad: si de niños nos dejaban
llevar un juguete nuevo el primer día de colegio,
en el instituto todo el mundo lleva puesta una
prenda nueva.

Otro que también estaba supercontento era Felipe, que llegó con unos patines increíbles. Nos dijo que eran de una marca puntera japonesa, que valían un pastón y que casi patinaban solos.

Una vez en clase, la tutora nos ha pedido que escogiéramos un nuevo compañero o compañera para sentarnos. ¡Yo he escogido a Ana! Pero cuando la tutora lo ha visto, ha negado con la cabeza y nos ha ~~obligado~~ invitado a separarnos.
¡Jolín! Ana ha llenado un hueco que quedaba

en la primera fila y yo me he ido hacia el final,
hacia la única mesa que quedaba libre, vacía.
¿Quién faltaba? ¿Quién estaba enfermo y sería
mi compañía para el resto de curso? Pronto se
ha desvelado el misterio.

La secretaria ha entrado y le ha dicho algo
a la tutora al oído que le ha hecho sonreír
levemente. Nos ha contado que Felipe estaba
en la entrada del instituto con problemas. No se
podía sacar los patines y el bedel no le dejaba
subir a las aulas. Me ha pedido que, ya que era
mi nuevo compañero de mesa, bajara a ayudarle.
Jaja. Felipe y sus historias.

He bajado como una bala por las escaleras y me
lo he encontrado en el vestíbulo, con la pierna en
alto, tirando de los patines desesperado, sudando
y diciendo todas las palabrotas que sabe más
alguna que se ha inventado.

Felipe: ¡Lía! ¡No puedooo! ¡Ayúdame!
Yo: ¿Pero qué pasa? ¡Si han entrado tienen
        que poder salir!

Felipe: Es que al ser profesionales tienen este
        sistema de cierre tan raro...
Yo: A ver...

Realmente era raro. Cuanta más fuerza
ponía en sacar el pie más se cerraba el
mecanismo. Tenías que mover los cierres
lentamente de manera que se fuera aflojando
poco a poco. Pero al final, con tranquilidad, he
conseguido quitarle un patín y poco después,
el otro.

Yo: Venga, venga, vamos, ¿Dónde tienes
        los zapatos?

Y entonces, Felipe ha puesto cara de terror.

Felipe: ¡¡AAAHHHHH, NOOOOO!! ¡¡Sabía que me
        dejaba algo!!

No podía ser. Parecía imposible que fuera cierto.
Imposible ser tan desastre. A menos que seas
Felipe, claro. Alguien que hasta hace bien poco
se forraba la habitación con trofeos comprados
en una tienda.

Felipe: ¡He tardado tanto en ponerme los patines
        que tenía miedo de llegar tarde! ¡Y con
        los nervios, me he dejado la bolsa con los
        zapatos! ¿Qué hago? ¡La tutora me va
        a mandar a casa! ¡Mamá me dejará sin
        patines un mes!

Yo: A ver, un momento, pensemos... Mmmm...
        Por suerte vas con calcetines negros
        y podrían colar. Entra en clase detrás
        de mí y sígueme hasta nuestra mesa, nos
        sentamos juntos. Si entramos deprisa
        no se dará cuenta.

Felipe me lo ha agradecido con un abrazo y hemos subido a clase. Hemos entrado a media charla de la tutora y nadie se ha fijado en que Felipe iba sin zapatos. **Buff.**

La tutora había estado hablando de las novedades del trimestre pero nos esperó para explicar cómo iría el final de curso: ha anunciado que en junio haremos unas colonias de cuatro días fuera de la ciudad. ¡Fantástico!

Yo he estado especialmente contenta: ¡Naturaleza! ¡Bichos! ¡Animales! Pero la felicidad ha durado solo un minuto, ya que la profesora se ha encargado de echarla por tierra al aclarar que haremos unas colonias **¡DEDICADAS AL DEPORTE!** Se ha atrevido a decirlo así: "Más que unas colonias podemos decir que serán unas **¡OLIMPIADAS!**"

Patricia, Alba Marina, Felipe, Roberto... estaban que no se lo creían (de contentos). Yo estaba que no quería creérmelo, y Ana y Choco estaban a sus cosas, un tanto indiferentes.

A mitad de clase he empezado a notar un olor raro, desagradable, mezcla de huevo podrido y estiércol. Por la cara que ponían los compañeros a mi alrededor, no era la única que lo estaba notando. Me he dirigido a Felipe:

Yo: Que olor tan raro, ¿no?
Felipe: ¿Olor de qué? Yo no noto nada...
Y entonces he atado cabos: he mirado los pies de Felipe, he acercado un poco la cabeza y...
¡Puaj! Efectivamente, ¡ese era el epicentro del hedor vomitivo! Y no solo yo me había dado

cuenta. Fabián, que por suerte se sienta muy cerca de nosotros, también lo miraba incrédulo.

Fabián: ¡Tío! ¡Vas sin zapatos! ¡¿Qué haces?!

Felipe: Cállate...

Tutora: ¡Ei!... ¿Qué pasa ahí al fondo? ¡¡Os queréis callar!!

Alba Marina: (Bajito)   ¿Pero estás bobo o qué te pasa? ¡Ponte los zapatos, chaval, que huele a boñiga!

Y entonces Felipe les ha contado a todos su problema y les ha suplicado que por favor no se lo dijeran a la profe porque lo iban a mandar a casa...

Tutora: ¿¡Qué pasa por ahí!? ¿¡Qué he dicho!? ¿Os calláis o tengo que mandaros a todos fuera de clase?

Todos nos hemos callado y con solo mirarnos hemos entendido que había que hacer un pacto de silencio para proteger a Felipe. Nuestro querido Felipe. No sé cómo lo ha hecho, pero toda la clase le tiene un cariño especial. Lo único que Fabián ha suplicado es que se pusiera los patines o algo para que no muriéramos todos envenenados... Y Felipe lo ha hecho. En silencio, los ha sacado de su bolsa y se los ha puesto. Y así, hemos podido seguir con la mañana de clases. ¡Por cierto! Hemos visto pasar a la de plástica con una grandísima barriga. Más que embarazada parece un globo a punto de salir de viaje.

A la hora del recreo, toda la clase ha ido descubriendo que Felipe iba con los patines puestos y solo unos pocos han querido bajar al patio. La gente estaba excitada contándose las vacaciones, los regalos y hablando de las Cololimpiadas (las hemos bautizado así) y cómo deberíamos prepararlas. ¿Habrá deportes de equipo? ¿Deberemos entrenar mucho? ¿Ganará Felipe la carrera en patines? ☺

Después del recreo tocaba Naturales. Sergio nos ha saludado a todos con alegría recordando lo bien que había ido el trimestre anterior y deseando que lo que quedaba de curso fuera también estupendo. Después de empezar el temario ha puesto algunos ejercicios. **Y después ha lanzado una bomba nuclear:**

Sergio: Me gustaría que alguien saliera a la pizarra... ¿Nadie? ¿Nadie se anima? Venga, va, Felipe, sal tú... a ver cómo te han sentado todos los piropos que te tiré antes de Navidad...

¡¡¡UPS!!! ¡UPS, UPS, UPS y UUUUPS!

Felipe se ha puesto rojo, rojísimo. Como si toda la sangre de su cuerpo hubiera subido en un segundo a su cara. Y no solo él. Todos hemos puesto cara de terror.

Sergio: ¿Qué pasa? ¿Qué he dicho? ¿Vienes, Felipe, por favor?
Felipe se ha levantado tambaleándose y aguantándose en la mesa para no resbalarse.
Felipe: Es que... Profe, es que tengo un problema y no puedo hacerlo.
Sergio: ¿Cómo que no puedes? (Nos ha mirado) ¿No puede?
Y todos hemos negado con la cabeza, muy serios.
Sergio: ¿Te has roto una pierna? ¿El trasero del pantalón? ¿Qué es tanto misterio?
Felipe: ¿Puedes acercarte un momento, por favor?

Y Sergio se ha acercado, molesto. Y cuando ha estado a la altura de Felipe, este ha estirado las piernas dejando al descubierto sus flamantes patines.

Sergio: Llevas... Felipe... Llevas patines en clase.
¿Me estás tomando el pelo?

Y Felipe, con cara de circunstancias y
atropelladamente, le ha contado lo ocurrido.

Felipe: He venido en patines pero me he olvidado
los zapatos y, por miedo al castigo y a
una buena bronca, he entrado descalzo
pero los pies me huelen tan mal que los
compañeros me han pedido que me los
pusiera porque se estaban mareando...
Salgo a la pizarra otro día, ¿vale?

Sergio miraba a Felipe con dureza. Y toda la clase
aguantábamos la respiración. Entonces Sergio ha
sonreído. Y después se ha echado a reír.

Sergio: No me puedo creer que el primer día de
trimestre esté pasando esto. Espero que
no sea premonitorio de cómo irá el resto
del curso... Anda, venga, he escuchado
muchas excusas en mi vida para no salir
a la pizarra pero sin duda esta es la mejor.
Felipe: Sergio, por favor, ¿po-podrías guardarme
el secreto?

Sergio (Nos ha vuelto a mirar.): ¿Le guardamos
      el secreto a Felipe?

Y todos hemos afirmado, contentos de ser
cómplices de un crimen tan atroz. ☺

Evidentemente, la que ha salido a la pizarra ha
sido Lía Abellán, o sea, yo. Siempre y resiempre,
LA PRIMERA DE LA LISTA, para servirle.

Jueves, 9 de enero

Las noticias sobre las Cololimpiadas han dejado a las Invencibles un poco vencidas. Bueno, a Ana y a mí más que a Choco. A ella no le desagrada el deporte. El problema de Choco es que le gustan los deportes que no se hacen en el insti: skate, bici, surf... Y odia tener que ir con pantalón corto y ducharse con las demás.

Choco, horrorizada con pantalones cortos.

Tras quejarnos mucho y ver que, después de hacerlo, seguíamos igual o más frustradas que antes, hemos pensado que ya que tengo bici nueva (ellas ya tenían) podríamos aprovecharlo para hacer paseos y así coger un poco de fondo y músculo... El problema será si nos van a dejar ir solas. Choco ha dicho que a ella seguro que sí. Ana no lo sabe y yo...

Al llegar a casa lo he preguntado. Y me han bombardeado con preguntas: ¿Por dónde? ¿Con quién? ¿Cuándo? ¿Cuánto rato? Y, al final, han acordado una respuesta, según ellos, meditada y justa: **NO**

- No. A no ser que el paseo lo deis por la terraza.
- No. A no ser que vayáis con la profe de gimnasia.
- No. A no ser que os acompañe una madre o un padre.
- No. A no ser que.... ¡Manuuuu! ¿Puedes venir un momentoooo?

Y así es como ha empezado el nuevo acuerdo

familiar que marcará mis salidas con mis amigas a partir de ahora. Manu nos acompañará. (A cambio de algo que no he logrado escuchar.) Se ha quejado un poco pero al final ha cedido. Al fin y al cabo él sale muchas veces de excursión con la bici porque le encanta.

Las Invencibles han estado de acuerdo con el pacto con Manu. **¡Tenemos que ponernos de acuerdo con él para la primera excursión!**

Miércoles, 15 de enero

El curso ya está en plena marcha. La profesora de gimnasia, Clari, vendrá de colonias con nosotros y está muy ilusionada con las Colompiadas. Aunque es un poco seria para mi gusto, siente una pasión contagiosa por su asignatura y por eso en su clase solemos pasarlo bastante bien. Aunque no todo es divertido, claro. Hoy nos ha dicho que nos hará las pruebas de nivel la semana que viene. Miedito me dan a mí estas pruebas. ¿Por qué no se puede hacer un examen de gimnasia tipo test? 😑

Martes, 21 de enero

Día raro raro. Esta mañana teníamos una de mis asignaturas preferidas: expresión plástica. La profe, Nieves, antes de empezar la clase, nos contó un poco cómo iba su (ya inmenso) embarazo: su hambre terrorífica, su cansancio y también las misteriosas apariciones de bultos raros en su barriga que si se observan bien son manos o pies del bebé que está explorando las paredes de su habitación... ☺

Después, empezó la clase. Hoy tocaba *collage*. A partir de recortes de revistas, debíamos rellenar un dibujo hecho por nosotros. Cuando estábamos todos concentrados recortando y pegando se ha oído una extraña queja: **"¡Noo! ¡Ah! ¡Por favor, no!"** La que se quejaba era la profesora Nieves. Todos la miramos extrañados y entonces se oyó una voz que decía: "La profe se ha meado!" Algunos reían, algunos otros no podían mirar, avergonzados, y otros, como yo, nos quedamos sin habla por el asombro... ¿Era posible que una profe embarazada se hubiera hecho pis en medio de una clase?

¡Qué fuerte!

Y entonces ella lo explicó mientras se secaba
con unos tristes pañuelos de papel:

Nieves: Por favor, avisad a alguien. ¡He roto
           aguas!

Algunos: ¡¿Que ha roto qué?!

Otros: ¡Que se le va a caer el niño de dentro!

Algunos: ¿Ahora? ¿Aquí?

Nieves: No me miréis así, que no pasa nada,
           el niño no va a nacer ahora... Pero id
           a buscar a alguien, por favor...

Y yo (y también Patricia Soler) hemos salido de
clase corriendo. Una hacia un lado, y la otra hacia
otro. Yo he entrado en la clase de al lado, donde
Sergio estaba dando Naturales a los de tercero.

Yo: ¡Por favor! Puedes venir un momento?
           Nieves ha roto aguas.

Sergio: ¿En serio? ¡No me fastidies! ¡Voy!
           Avisa a dirección, por favor. Y tal vez
           que llamen a un taxi.

He corrido como una loca hacia el despacho de
dirección. Por el otro lado del pasillo venía Patricia

Soler que había recibido las mismas instrucciones que yo de la profe de música. Hemos entrado las dos en el despacho, hablando a la vez:

Yo: Hola. ¿Podrían llamar a un taxi?

Patricia: Y a la familia de ella, ¿no?

Yo: ¡Y necesitamos una fregona!

Patricia: Somos de primero de ESO. ¡Se ha roto el agua del niño! ¡Se ha roto el agua del niño!

Directora: ¡PARAD UN MOMENTO LAS DOS! ¡NO ENTIENDO NADA DE LO QUE ME ESTÁIS DICIENDO!

Entonces Patricia y yo nos hemos calmado y lo hemos explicado bien. En esos momentos llegaba la embarazada con Sergio. Él ha dicho que iba a la calle a buscar un taxi y ella ha empezado a hablar por teléfono:

Nieves: ¡Amor! ¡He roto aguas! Me voy hacia el hospital. (...) Sí, sí, estoy bien. Nos encontramos allí. ¡¡¡Ya llega nuestro tomatito!!!

Patricia y yo la mirábamos con los ojos como embarazos.

Nieves: No os asustéis, de verdad. Ahora llegaré al hospital y con suerte dentro de cinco o seis horas el niño empezará a sacar la cabeza. Un poco antes de tiempo pero bueno. Nos vemos en unos meses, ¿ok? Portaros bien, guapas.

Y entonces ha entrado Sergio, agitado:

Sergio: ¡¡¡He conseguido un taxi!!!

Patricia y yo nos hemos peleado (lo confieso,
ha sido un poco patético) para ayudar
a Nieves a entrar en él. Una vez dentro ha
desaparecido entre el tráfico de la ciudad y ya
no la volveremos a ver en un tiempo. Ahora,
(estoy escribiendo por la noche, en la cama), el
tomatito ya debe de haber nacido y supongo que
Nieves está feliz. A partir de hoy nosotros ya
no somos sus queridos niños. Habremos pasado
a ser secundarios en su vida y tengo como unos
minicelos raros. Qué tontería.

Esto de venir al mundo es la monda. Pensar
que antes de nacer vivimos como un pez dentro
de una bolsa de agua que se acaba rompiendo
es... inquietante. No puedo evitar que se me llene
la cabeza de preguntas: ¿Son bolsas de un solo
uso? ¿Los gemelos las comparten? ¿Son con
asas? (jaja.)

Miércoles, 29 de enero

Hoy, pruebas con la profe de gimnasia.

Todo el mundo ha venido supermotivado y superdesayunado. Felipe, Roberto, Patricia y Alba Marina estaban ilusionados y con muchas ganas de empezar. Fabián, Ana y Choco, aunque sabían que no les iría mal, se lo tomaban con más calma. Y después estaba yo. En un rincón. Sabiendo que iba a ser una mañana difícil y suplicando no morirme en la prueba de resistencia.

Primero hemos empezado con las pruebas de velocidad. En eso no soy la mejor pero no lo hago mal. Siempre que la prueba sea corta, claro. De aquí a aquí y basta. Si tengo que correr más de una vuelta al patio, las fuerzas no me llegan.

Altura: ¿por qué en el insti quieren saber quién salta más alto? ¿Es que piensan poner la pizarra o el papel de váter a dos metros?

Y en resistencia... Buff, solo de pensar en lo

mal que lo he pasado me entra la tristeza.
Creía que me moría. Que no llegaba porque
el corazón se me salía por la boca. Tengo
que entrenar. Sin duda tengo que hacerlo.
He quedado la penúltima. La última ha sido una
chica que estaba enferma y que ni siquiera ha
venido. ☹

No tiene gracia, Lía. Nada tiene gracia. Estoy
muy cansada. Buenas noches.

Jueves, 30 de enero

Hoy he bajado a ayudar un poco al Ex Señor Penoso (desde que se rompió la pierna, le ayudamos un poco todos los vecinos) y, excepcionalmente, le he llevado una fiambrera con comida de la abuela.

Yo: Dice mi abuela que le gustaría que probara su guiso nuevo.

Sr. P: ¿No lo ha querido el perro ese que tiene?

Yo: Dice que espera que le guste. ¿Quiere que vaya al súper?

Sr. P: Sí. Y tal vez sea tu última vez... Me quitan el yeso esta semana.

Yo: ¡Hala! ¡Muy bien!

Sr. P: Ni se te ocurra seguir viniendo, ¿eh?

Yo: Jaja.

Sr. P: ¿Por qué te ríes?

Yo: ¿Y no podré venir a que me enseñe a hacer decorados de teatro?

Sr. P: ¿Ahora quieres venir a cobrarte la ayuda de todos estos meses?

Yo: Si no le apetece, no, claro. Pero si quiere puedo pagarle medio euro por hora.

Y aquí ha sonreído. ¡He hecho sonreír al Señor Penoso! (Ex Sr. Penoso, perdón)

Sr. P: Venga, va. Acepto. Baja cuando quieras. Y dale las gracias a tu abuela. ¡Pero cuando mañana aparezca envenenado, quiero que mi muerte caiga sobre tu conciencia!

Viernes, 31 de enero

Hoy era el primer día que teníamos plástica después de que Nieves rompiera aguas en medio de la clase. La profe que se ha presentado ha sido **¡TACHÁN!** Lourdes, la de música. Nos ha contado con desgana que por rollos burocráticos, recortes y no sé cuantas cosas más, no sustituirán a Nieves durante su permiso de maternidad, y ella será la que nos dará plástica durante estos cuatro meses. Raro, raro. ¿Sabrá hacerlo?

La profe de música es una mujer muy plasta, con una voz de pito destacable (que hace que la llamemos la Pito cuando no nos oye), y que a la primera de cambio te dice las cosas cantando. Por ejemplo con la música de "We are de champions".)

¿Quiéééén ha traííííido los debeeereeees?
¡Teeeeengo que iiiiiir al baaañooo!
¡Yaaaaa estoy de vueeeelta, my frieeends!

Deberíamos haber sospechado que tendríamos
algunos problemas cuando nos ha dicho que
es daltónica y que todo lo azul lo ve marrón
y lo verde lo ve rojo. Pero simplemente nos ha
hecho gracia y no le hemos dado importancia.
El problema ha sido cuando nos ha pedido que
pintáramos a nuestra manera algunas partes de
cuadros famosos que ella nos iría describiendo:

Lourdes: ¡¡Fijaros en este cielo marrón tan
            expresivo!!

Evidentemente era expresivo para ella, pero el

cielo del cuadro realmente era azul y no marrón.
No acertaba ni una y nos tenía a todos como
locos buscando matices de colores inexistentes.
Al intentar copiar las piezas, cada uno pintaba
colores diferentes.

Felipe: ¿Como ella lo ve? ¿O como lo vemos
          nosotros?

Yo: ¡Si lo dibujas marrón, ella lo verá azul
          y te dirá que está mal!

Felipe: ¡Vale, vale, cielo marrón! ¡Qué expresivo,
          mamita! ☺

La profe, a medida que pasaba el tiempo, se ha
ido soltando: nos ha pedido que dibujáramos

lo qué sintiéramos al escuchar algunas canciones que ella misma cantaba... Al ver los resultados de nuestro trabajo ha explotado y ha empezado a comparar las artes plásticas con el noble arte de la música. Completamente poseída por el amor a SU ASIGNATURA ha dejado la plástica a la altura del betún.

Sin duda, quedó claro que las clases de plástica con ella no podían ir bien de ninguna manera. Y ella misma, al final de la clase, lo ha reconocido: "Me parece que no soy la profesora de plástica que os merecéis. He fracasado. Presentaré mi dimisión a la directora hoy mismo y no aceptaré un no por respuesta". Ha sido todo muy raro. Muy rápido. Extraño.

Le han aceptado la dimisión y después nos hemos enterado de que ella ya de inicio no quería dar la asignatura pero que la habían medio obligado... con el desastre de clase que ha hecho, la dirección no ha tenido más remedio que hacerle caso y nos buscarán a otro o a otra... A ver. ¡Espero que no seamos conejillos de indias todo el curso!

Sábado, 8 de febrero:

Ha costado ponernos de acuerdo, pero hoy finalmente hemos hecho nuestra primera GRAN EXCURSIÓN en bicicleta. La intrépida y altamente preparada expedición estaba formada por:

¡LAS INVENCIBLES
Y MANU EL GRANDE!

Manu y yo hemos desayunado temprano, cuando mamá, papá y la abuela aún dormían. Antes de emprender la marcha, aún de noche, Manu ha preparado dos bocadillos de lomo, de dos palmos cada uno, para tomar a media excursión.

Manu: ¿Aguantarás bien los veinte kilómetros?

Yo: ¿¿Veinte??

Manu: ¡Hacer menos no sirve para nada!

Yo: ¿Y si no puedo? Es que no creo que pueda...

Manu: Venga, Lionesa, claro que podrás. Y además, nos lo pasaremos bien. Coge el impermeable, que parece que hay nubarrones.

Sin darme tiempo a sentir miedo, han llamado al timbre. Ana y Choco, preparadísimas con sus bicis y sus mochilas, nos esperaban la mar de guapas y animadas. (¿Es posible que quiera más a mis amigas que a mi familia?)

Hemos pedaleado un rato por la ciudad dormida hasta la estación. Al cabo de media hora el tren nos dejaba en pleno bosque. Ahí empezaba la ~~tortura~~ excursión. Manu ha sacado un mapa y lo ha extendido ante nosotras.

Manu: Cogeremos este camino, que es muy bonito y va por el encinar. Espero que en una hora y media lleguemos a esta fuente. Allí pararemos un poco y comeremos algo. Después, seguiremos un par de horas más hasta llegar a este punto donde se ve la ciudad preciosa y...

Choco: Y entonces volvemos, ¿no?

Manu: Entonces cogemos este otro camino para volver. Da un poco de vuelta pero es más entretenido. Ya veréis.

Ana: Yo tengo que dormir en mi casa, ¿eh?

Manu: Jaja. Claro que sí. ¿Todas lleváis
        teléfono?

Las invencibles: Sí.

Manu: ¿Chubasquero?

Las invencibles: Sí.

Manu: ¿Antibióticos? ¿Gasas? ¿Vendas?
        ¿Encendedores para hacer fuego?

Nos hemos mirado asustadas.

Manu: ¡Jaja! Es broma. ¡Venga, en marcha!

Y así ha empezado la expedición. La bicicleta
hacía clonc–clonc pero iba estupendamente.

De vez en cuando la arboleda se abría y se podía ver el inmenso bosque que íbamos a atravesar, ¡era espectacular!

—¡Mirad! ¡Un conejo! —ha gritado Manu.

Efectivamente, un conejo se alejaba corriendo. Yo he bajado de la bici y he intentado seguirlo para ver dónde tenía su madriguera, pero sin duda, un conejo, en el bosque y en cualquier otra parte, corre muchísimo más que yo.

Hemos seguido. Me notaba el corazón latir deprisa pero me sorprendió ver que seguía el ritmo de los demás sin mucha dificultad. Aunque el bosque se iba haciendo cada vez más espeso, el camino era bastante plano, en ocasiones bajaba, y era fácil avanzar. Al cabo de bastante rato de pedalear hemos llegado a la fuente que nos había mostrado Manu en el mapa. Ahí nos hemos encontrado con una señora viejísima llena de pelos en la cara y vestida con prendas de todos los colores imaginables. Estaba llenando garrafones de agua y hasta que no

ha colmado el último no nos ha dejado beber. Mientras esperábamos, yo me preguntaba de dónde habría salido, ya que hacía rato que no habíamos visto ninguna casa.

Mujer: Mal día para ir de excursión...
Manu: O muy bueno, porque se suda menos...
Mujer: Yo de vosotros daría marcha atrás.
      Parece que va a caer una buena...
Manu: Tranquila, vamos bien equipados y somos
      Invencibles... ☺

La mujer nos ha mirado con media sonrisa burlona, nos ha deseado suerte y se ha ido con los garrafones hacia una especie de triciclo motorizado que tenía escondido en un rincón. Ha atado el agua al vehículo chatarroso y se ha esfumado.

Después de beber un poco y reírnos de la estrafalaria señora, los miembros de la expedición hemos devorado unas bolsas de frutos secos y un plátano. Estábamos felices. El deporte no me emociona pero sí la naturaleza. Sentir que mi

nueva bici me permitiría hacer muchos kilómetros
y descubrir lugares nuevos era... **¡Excitante!**

Aunque el cielo estaba un poco gris, seguimos
adelante sin preocupaciones. Al cabo de media
hora, empezó a caer una leve lluvia, apenas
visible. Era como un rocío molesto, sobre todo
porque me empañaba las gafas.

Ana: ¡Está lloviendo!

Manu: ¡Esto no es lluvia! ¡Vamos!

Pero al cabo de un minuto, la lluvia ya no era fina: eran unos antipáticos gotarrones que nos han obligado a ponernos los chubasqueros corriendo.

Yo: ¡Está lloviendo mucho! ¿Por qué no volvemos?

Manu: ¡No! ¡Creo que en el punto en que estamos es mejor seguir adelante para evitar subidas! ¡Venga, Chicas! ¡Demostradme quiénes sois!

El problema ha sido que el Escuadrón de los gotarrones se convirtió en un Ejército de pequeño granizo... pequeñas lentejas de hielo hacían clinc clinc al atacar a nuestras bicis creando una sinfonía de cloncs y clincs que hubiera encantado a la Pito.

Choco: ¡Cae granizo!

Manu: ¡Venga! ¡¡Con cuidado y para adelante!!

Manu, con su superbici y su superfuerza en piernas y brazos, avanzaba a gran velocidad, casi el doble que Choco y Ana y, por supuesto, el triple de rápido que yo. Tanto que, en un momento, entre las gafas mojadas y el granizo que me impedía ver... les he perdido de vista.

Yo: ¡EEEEEhhhh! ¡¡Esperadme!!

Y las lentejas de granizo se han convertido en garbanzos. Y los garbanzos en olivas de hielo.

Yo: ¡Ahhhh! ¡Manuuuu! ¡MANUUUU!

Entonces les he visto. Delante de mí, esperándome en medio del camino, tapándose las cabezas con los brazos. Las bolas de granizo caían con tanta fuerza que si no nos cubríamos rápido nos harían daño. **¡No podíamos pedalear así!**

Manu: ¡Dejad las bicis, rápido!
Choco: ¡Ah! ¡Duele!
Manu: Poneos las mochilas en la cabeza y corred. ¡Venga, venga!

Y en ese momento una gran rama llena de piñas se ha precipitado al suelo justo al lado de nuestros pies. **¡CRRAAAANK!**

Manu: ¡SEGUIDME! ¡¡TENEMOS QUE ENCONTRAR UN SITIO DONDE RESGUARDARNOS!!

El granizo ya no eran garbanzos, ni olivas, eran pelotas de golf.

Hemos seguido a Manu, que me cogía de la mano y me ayudaba a avanzar.

Manu: ¡Venga Invencibles, entremos por aquí!

Hemos seguido una pequeña pista mientras el granizo nos golpeaba la nariz, la espalda, las piernas...

Choco: ¡¡Ahí hay una casa!!

Y hacia allí hemos ido. Asustadas, casi al borde del llanto, pero sin parar de correr.

Era una pequeña casa de tochos mal puestos. Con un pequeño porche que, por fin, nos ha protegido de las piedras, aunque no del frío... En ese momento he pensado que lo que nos estaba pasando se parecía mucho a la aventura que viví dentro del túnel de lavado con papá. Con la diferencia de que papá no estaba aquí, estábamos a millones de kilómetros de casa y no sabíamos quién nos iba a recibir en esa choza apartada.

Hemos llamado al timbre. Una, dos, tres veces. Y nadie nos ha abierto. Tal vez se trataba de un almacén o era una casa abandonada...

Manu: ¿Estáis bien?
Ana: Sí.
Yo: Sí.
Choco: Me duele el ojo...

Hemos mirado a Choco. Una bola de granizo le había golpeado en la cara y tenía el párpado bastante hinchado y ligeramente lila. No podía abrir el ojo y, por la cara que ponía, debía de dolerle mucho.

Manu: A ver, mírame...

Choco: No puedo abrirlo.

Manu: Ábrelo solo un poco aunque te duela, va. Mírame y dime si me ves.

Y Choco lo ha hecho.

Choco: Sí, te veo. Pero me duele mucho.

Manu: Vale, que veas es lo más importante. No te preocupes. Llamaremos a tu casa y nos vendrán a buscar. No pasa nada.

Manu ha sacado su impresionante nuevo teléfono y ha llamado al número que le dictaba Choco. Pero entonces ha soltado un grito.

Manu: ¡NO PUEDE SER!... Mirad la cobertura de vuestros teléfonos, por favor...

Y lo hemos hecho, temblorosas: ni una mínima señal de cobertura en ninguno de los teléfonos. Y las piedras no paraban de caer. Y el frío era más intenso.

Manu nos ha pedido que nos pusiéramos cualquier cosa que nos pudiera tapar, aunque fuera la gorra que llevábamos para evitar el sol, y que comiéramos los bocatas que traíamos. Así lo hemos hecho. Nos ha dicho que no nos moviéramos y se ha ido mientras Choco seguía quejándose del ojo.

Yo: Eres una Invencible, ¿recuerdas?
         Te pondrás bien.

Ana: Estamos un poco locas... ¿Qué hacemos
         aquí?

Yo: Con lo bien que estaríamos en el desierto
         haciendo skate surf...

Choco: Aj aj.

Manu ha vuelto con una manta supersucia que
ha encontrado en el leñero y nos ha pedido que
nos tapáramos. Mientras intentábamos preparar
un fuego sin mucho éxito, hemos visto que, por
entre la intensa lluvia, se acercaba un pequeño
foco, acompañado de un runrún no del todo
desconocido...

Ana: ¡Es la vieja de la fuente!

La vieja venía tapada con una gran capellina de
colores y ha aparcado su cachivache delante de
nosotros. Ha bajado los garrafones y también un
pájaro muerto que se ha sacado de la pechera.
No ha parecido demasiado sorprendida al vernos,
aunque quién sabe, era una mujer muy rara.

Mujer: ¿Y ahora qué queréis? ¿No habéis seguido mi consejo cuando os lo he dado y ahora me necesitáis?

Manu: Por favor. Si deja a las chicas secarse un poco y entrar en calor, yo puedo ir a buscar ayuda.

Mujer: ¿Qué ayuda? La lluvia no ha matado nunca a nadie. En unas horas estará despejado y os podréis marchar.

Manu: No. Mire este ojo. Es necesario ir rápido
         a un médico.

Y Choco, con reticencias, le ha mostrado a la
mujer su ojo, mucho más lila e hinchado que
antes. Al verlo, la mujer ha resoplado y nos ha
abierto su casa. Ha encendido un fuego con
rapidez y nos ha dado un tazón de algo caliente
que parecía un extraño caldo.

Mujer: Supongo que habéis probado los
        teléfonos. Aquí no sirven para nada. Si una
        de vosotras me acompaña, os llevo donde
        hay cobertura.
Manu: Ya voy yo.
Mujer: No. Tú no. El triciclo no podría con los dos.
        Una de las chicas, venga.

Ana, que ya sabemos que es un poco miedosa,
me miraba con cara de susto (como aquella vez
en el Tejado Dorado). Estaba claro que no quería
irse con esa señora. Me tocaba a mí. He mirado
a Manu y él ha asentido.

Manu: Sí. Ve tú, Lía. Llama a los padres de
        Choco y diles que llamen a mamá. Estamos
        en la pista de la Ermita de San Nicolás.
        Poco antes del mirador. Ella sabrá cómo
        llegar.

Me he puesto el jersey de Manu, el chubasquero
y un casco roñoso que me ha dado la mujer.
Juntas, ella y yo, nos hemos subido a su nave
espacial.

La mujer: Agárrate bien a mi cintura y no te
muevas para nada. El suelo está muy resbaladizo
pero, si te estás quieta, no nos caeremos.

Y he subido. Asustada.
La mujer conducía bien
a pesar de ser casi tan
mayor como la abuela y
a pesar de que el suelo
no era suelo, era un
charco de barro infinito
y circular por él era como
protagonizar una carrera

de motocross de las que se ven por la tele.
Yo me agarraba a su cintura y al pasar cerca
de los acantilados cerraba los ojos pensando
que, aunque todo el mundo opine lo contrario,
el deporte es la tontería más grande que ha
inventado la humanidad. Hemos avanzado por
el camino unos cinco minutos y entonces me ha
hecho bajar.

Mujer: Ahora tendrás que seguir tú un rato.
Avanza por esta senda, súbete a esa
piedra tan grande que se ve al fondo
y una vez arriba trepa hasta la rama
más alta de la encina que verás a tu
izquierda.

No la entendía.

Yo: Pero... ¿Para qué?

La mujer: ¿Cómo que para qué? ¿No querías
cobertura? Hazlo. Ahí la encontrarás.

Yo: ¿Y usted?

Mujer: Me marcho. Voy a recoger unas
hierbas para el ojo de tu amiga.
¿No me dirás que tienes miedo?

Se ha reído. Se ha puesto el casco y se ha marchado. Y en ese momento me he dado cuenta de que estaba sola en medio del bosque, bajo una lluvia implacable y con un teléfono que no servía para nada. ¿Y si no encontraba cobertura? ¿Y si esa mujer no era tan amable como parecía y me había abandonado allí porque odiaba a las personas? ¿Y si no volvía a ver nunca más a Manu o a mis padres?

Lo único que podía hacer, aparte de bloquearme por el miedo, era seguir las instrucciones que ella me había dado: he andado por la senda, he subido a la piedra como he podido, y he trepado por el árbol hasta su primera rama.

De pronto, una sombra oscura ha pasado cerca del tronco, ocultándose muy sigilosamente. Algo o alguien se escondía detrás de la piedra a la que acababa de subir. Aunque sabía que no tenía que perder los nervios, los estaba perdiendo. Y el teléfono seguía muerto.

Los arbustos temblaban. Lo que estuviera detrás de la piedra estaba a punto de saltar a por mí. Y entonces la sombra apareció en forma de cabeza. Una cabecita de conejo (juraría que era el que había perseguido antes) asomó a mirarme con una mirada limpia y simpática.

–"¿Qué hace una humana con casco subida a un árbol en medio del bosque en un día de lluvia como este y con un móvil que no sirve para nada?" (Esto es seguro lo que me quería preguntar.)

Yo: Me has asustado, ¿sabes?

Y ahí se ha quedado, mirándome, haciéndome
compañía. Yo, ya más tranquila, he vuelto a lo
mío. He subido un poco más por el árbol, he
sacado el móvil, lo he levantado con el brazo y...
¡¡¡COBERTURA!!!

No he dudado ni un momento sobre hacerle caso
o no a Manu con las instrucciones que me había
dado ("Llama a los padres de Choco"): No podía

hacerle caso, ¡necesitaba hablar con mamá y papá primero!

Yo: ¿Mamá?
Mamá: Hola Lía, ¿cómo vais? ¿Disfrutando del día?
Yo: Mamá. ¡Tienes que ayudarnos!

Y así ha sido como mamá se ha enterado de lo ocurrido. Ella ha llamado a los padres de Choco y en menos de una hora hemos visto llegar dos coches por la pista forestal. La lluvia ya había parado cuando han llegado. Y yo ya estaba con Manu y mis amigas en casa de la mujer, porque Manu le ha pedido el triciclo para venir a por mí.

Cuando llegué, la mujer, que se llama Coral, había puesto cataplasmas de hierbas tibias en el ojo de Choco. Esta tarde los médicos que la han visto han dicho que el mejunje había ayudado mucho a evitar que se hinchara aún más.

Manu estuvo todo el rato dulce y cariñoso con las tres e irá con la furgo de unos amigos suyos a recoger las bicis un día de estos.

La excursión al bosque ha acabado mal pero sé que no será la última. ¡Al contrario! Me he dado cuenta de que soy capaz de hacer kilómetros y seguro que puedo mejorar. Hacer deporte no es el peor invento de la humanidad. Las redes de telefonía móvil sí lo son.

Una vez en la cama, justo cuando iba a sacarte para contártelo todo, ha venido Manu a hablar conmigo.

Manu: ¿Cómo estás? ¿Pasaste un poco de miedo, verdad?

Yo: ¿Tú no?

Manu: Yo también. Pero no por mí: no quería que pasárais ese mal rato.

Yo: No pasa nada. Fue emocionante.

Manu: Creo que me pasé con el recorrido. Y al escoger un día tan malo.

Yo: Nos cuidaste muy bien.

Manu: Esto no es lo que opinan mamá y papá.

Yo: Pues mañana se lo vuelvo a decir.

Manu: Que duermas, bien, princesa.

Yo: ¿Has hablado con Coral?

Manu: Ha llamado ella interesándose por el ojo
       de Choco.

Yo: Imagínatela subida a aquel árbol para
       poder hacer la llamada, jaja.

Manu: Jaja. Libre como un pájaro. Mola conocer
       gente diferente, ¿eh?

Hemos sonreído, me ha dado un beso y
se ha marchado a su habitación, agotado.
Mi superhermano seguro que ya duerme.
Buenas noches.

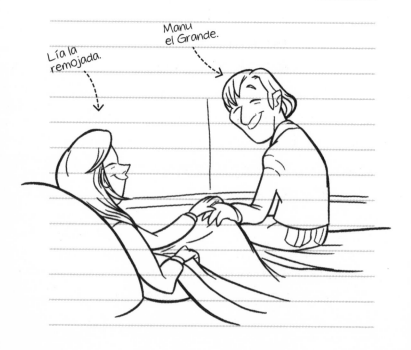

Manu
el Grande.

Lía la
remojada.

Lunes, 10 de febrero

Esta mañana Roberto se interesó por mi bici
al no verla aparcada donde siempre. Aproveché,
junto con Ana y Choco (y su ojo morado), para
contarle nuestra aventura en el bosque. El resto
de la clase, al vernos tan animadas, nos rodeó
para escuchar la historia.

Justo antes de terminar el relato, Patricia Soler
soltó una de sus gracias:
> "¡¡¡Uuuuuyyy, qué miedo!!!
> ¡¡¡Mucha lluvia y un conejo!!!"

Aunque algunos se rieron, otros, incluidos mis
queridos Fabián y Roberto, le pidieron que se
callara e insistieron en que explicáramos cómo
había acabado todo*.

*Antes de Navidad papá dijo que quien se ríe de los demás
es porque en el fondo no es feliz consigo mismo/a. Tal vez
tiene razón pero a mí me cuesta perdonarla.

Jueves, 13 de febrero

Esta noche, la abuela y Manu se han ido al cine para dejarnos a papá, a mamá y a mí cenar a solas. Estaba claro que se iba a producir una **CONVERSACIÓN SERIA** de manera inminente. (Las últimas habían servido para decirme que la crisis nos haría ajustar el cinturón y que la abuela se venía a vivir con nosotros.) ¿Qué querían decirme esta vez?

Mamá: Lía, lo que te voy a contar puede ser
      que te haga mucha gracia, un poco de
      gracia o ninguna gracia.

Ayayayayyyy... ¿Es posible que tu madre no sepa si algo va a gustarte mucho o nada? ¿Qué podía ser?

Pues ahí va, y agárrate querido diario, porque la cosa tiene miga: resulta que mamá escuchó con mucho interés mi relato de la reciente maternidad de Nieves y la desastrosa sustitución que hizo la profe de música. En un arrebato creativo, mamá, que sigue sin trabajo de arquitecta desde hace meses, se ofreció a la directora del instituto como nueva profesora de plástica y dibujo. **¡Toma ya!**

¡¡¡¡Y ESTA MAÑANA LE HAN LLAMADO por si quería incorporarse inmediatamente!!!!

Mamá: Aún no he dicho que sí. Les he pedido que me lo dejaran pensar porque quería hablarlo contigo.

Yo: Pero entonces... ¿Serías MI profesora? ¿En serio? ¿Eso es legal?

Papá: No lo es. O es mamá o es profesora, deberás escoger.

Mamá: No bromees, José. Claro que es legal. Además será solo durante tres meses y medio. ¿Qué opinas?

Yo: Mmm... Es que... No sé...

Mamá: ¿Te gusta la idea o crees que es algo terrible que no podrás soportar? Es que yo necesito trabajar, Lía... Y me encanta enseñar, ya lo sabes...

Yo: ¿Puedo pensármelo hasta mañana?

Mamá: Mmmm... Hasta el postre.

Me he terminado el primer plato en silencio mientras mamá y papá no me quitaban los ojos de encima. Como era bastante incómodo pensar de esta manera, me he marchado con mi pollo con ensalada a la galería. Lentejas, Rich y Cocodrolo se han puesto la mar de contentos creyendo que mi cena sería PARA ELLOS. Pero cuando han visto que NO, me han dejado sola, enfadados. Son unos animales.

Mis reflexiones: ¿Qué pasaría cuando la gente de clase descubriera que la nueva profe es mi madre? ¿Y cómo me iba a sentir yo? ¿Sabría relacionarme con ella? ¿Ella me daría besitos en medio de la clase como hace a veces en casa? **¡AAAAY!**

A mitad del postre he vuelto a la mesa para anunciar mi decisión.

Yo: Ningún problema con que aceptes el trabajo en el Instituto. Es el primer buen trabajo que te ha salido en bastante tiempo...

Mamá y papá han respirado sonrientes.

Yo: Pero, por favor, **QUE NADIE SEPA QUE ERES MI MADRE.**

Mamá y papá me han mirado, se han mirado, me han mirado, se han mirado y entonces han

intentado, a la vez, convencerme de que esa idea era una majadería. **PERO YO LO TENÍA CLARÍSIMO.** Si lo ocultamos, ok. Si no, prefería que no aceptara el trabajo. Para algo habían pedido mi opinión, ¿no?

Papá: Pero Lía... Lo acabarán sabiendo y será peor...

Yo: Ya lo sé. Yo misma se lo diré a todos cuando mamá ya no sea profesora... Y además, no propongo mentir, solo propongo no decirlo, que es distinto...

Mamá: Buff, Lía, es demasiado complicado...

Yo: Si Patricia ya se mete conmigo solo
       porque me asusta un conejo... ¡Imaginad
       qué hará si sabe esto!

Papá: ¡Deja de pensar en Patricia Soler!

Yo: Ya lo intento, ¡pero no puedo! ¡Me hará la
       vida imposible! Vosotros no la conocéis...

Creo que me han visto tan asustada que han
dejado de insistir. Se han reunido un ratito en
la cocina y han aceptado mi única y pequeña
condición. Mamá firmará el contrato y será profe
de la escuela. **PERO NO LO SABRÁ NADIE.**
(Bueno, un NADIE con excepciones, claro...)

Antes de ir a dormir he chateado con Ana para
contárselo.

Login: Laestoyliando
Password: parda

Ana: ¡¡¿VAIS A OCULTAR QUE ES TU MADRE?!!

Yo: No es tan grave. ¡Y es mi vida privada!
       ¿Me prometes que no dirás nada?

Ana: ¡¡Estáis locas!! ¿Ni a Choco?

Yo:	Choco la conoce como tú, claro que se lo diré...
Ana:	Felipe también estuvo en tu casa...
Yo:	Pero mamá no estaba. No la conoce...
Ana:	¡¡ESTÁIS LOCAS!!

"MAMA EN EL INSTITUTO"
La nueva peli de Lía Abellán
en unos días en sus pantallas.

Lunes, 16 de febrero

Hoy he tenido un sueño muy raro. Estábamos en las colonias olímpicas de final de curso. Toda la clase metidos en una piscina muy grande en forma de bañera a punto de hacer una carrera. De pronto, se sale el tapón de la bañera y un remolino nos engulle a todos. Después de colarnos por el agujero, abrimos los ojos y nos encontramos en las profundidades de un océano precioso, lleno de extraños seres fluorescentes. No llevamos oxígeno pero tenemos la capacidad de respirar bajo el agua. Entonces BANG, se oye el tiro de salida de la prueba de natación.

Nos ponemos a nadar con todas nuestras fuerzas y yo consigo avanzar más rápido que Ana, que Choco, que Patricia... Hasta llegar a superar a Fabián y Roberto... Finalmente gano la carrera y soy muy feliz, aunque al intentar subir al podio me es imposible porque tengo una cola de sirena. #Olelossueñosraros

Miércoles, 19 de febrero

Hoy es el primer día de mamá en el instituto. Las dos hemos ido en bici. Hemos recorrido un trecho juntas pero al cabo de poco rato yo me he desviado por otro camino y hemos llegado separadas. Al encontrarnos mientras atábamos nuestras bicis, nos hemos ignorado, como si no nos conociéramos.

Al entrar en el vestíbulo la he visto saludando
a todos los profesores y me he puesto muy
nerviosa. Aunque intentaba evitarlo, no podía
dejar de mirarla y Roberto lo ha notado:

Roberto: Supongo que es la nueva profe
de plástica. Tiene cara de perrito.

Yo: ¿Cómo?

Roberto: A mí me lo parece. Seguro que entra
en clase y se pone a ladrar. "Buenos
días, ¡guau! Soy la Perrito." Jaja.

Yo: A veces dices unas tonterías... A mí
no me lo parece.... Me voy a clase.

Y lo he dejado ahí. No sé si ese comentario
me hubiera hecho gracia si "la Perrito" no fuera
mi madre. Espero que no. No soporto cuando
Roberto dice o hace cosas estúpidas. En ese
momento, automáticamente, deja de ser un chico
especial y se convierte en un chico más.
¿!La Perrito!? Tener a mamá por el insti va a ser
mucho más duro de lo que me imaginaba. Y eso
que aún no nos ha dado clase... **¡¡Miedo me da
cuando llegue ese día!!**

Sábado, 22 de febrero

Esta tarde al llegar a casa me encontré con la sala ocupada por la abuela y su pandilla. Son unos ocho, entre hombres y mujeres, casi todos maestros jubilados que siempre están metidos en mil actividades para intentar cambiar el mundo. Hoy se estaban preparando para una manifestación y discutían sobre cómo hacer una pancarta gigante. Al oírlos, no he podido evitar pensar que ahí faltaba el Señor P. y sus manos hábiles para los trabajos manuales. Se lo he comentado a la abuela y ella misma ha bajado a pedirle ayuda, a pesar del riesgo de recibir un portazo en la cara.

Mientras ella bajaba, yo les he explicado a todos quién es el señor P.: Un hombre de apariencia dura y antipática pero con un gran corazón escondido, que fue un gran escenógrafo de un teatro importante pero que desde hace años casi nunca sale de su casa. Me han preguntado por qué se encerró y no he sabido qué contestar. ¡Espero llegar a saberlo algún día!

Al cabo de diez minutos, **SORPRESA MUNDIAL,** la abuela ha entrado en casa seguida por el señor P., que se ha enfadado cuando ha visto la cantidad de personas que le aguardábamos en la sala:

Abuela: No me mire así... Si le llego a decir que somos ocho no habría venido.

Sr. P.: Claro que no habría venido. Porque si ocho personas no saben hacer una pancarta es que son tontos. Y para ver tontos prefiero mirar por la ventana.

Después de esta entrada triunfal y de una pequeña disculpa del Sr. P. (forzada por la abuela) le han explicado de qué iba la manifestación y la pancarta que habían pensado. El señor P. ha escuchado, sorprendentemente, con interés. Durante unos segundos ha reflexionado mirando al techo y finalmente ha dicho:

Sr. P. : Creo que una gran pancarta no es suficiente para tocar las narices a esos mamarrachos del gobierno. Propongo una marioneta. Podríamos hacer una marioneta gigante que sujete la pancarta que vosotros decidáis. Se puede hacer. A no ser que seáis una panda de vagos incompetentes, claro...

Jaja. Les ha picado como solo él sabe hacerlo. Y entonces ha empezado a dibujar la futura marioneta y nadie podía cerrar la boca del asombro. Después de unas breves explicaciones del material, la gente y el tiempo que necesitaríamos para hacerla, hemos quedado otro día para ponernos manos a la obra.

Viernes, 28 de febrero

¡TACHAAAAN! Señoras y señores, con todos ustedes, hoy ha tenido lugar la primera actuación de...

¡¡LA PROFE-MAMÁ y su querida ALUMNA-HIJA!!

Ver entrar a mamá en clase no ha sido como ver una actuación de circo... No. Verla allí me ha provocado una incomodidad gigantesca, parecida a la que siento cuando, estando con mis amigas por la calle, me encuentro con alguien de la familia y no sé cómo comportarme. La sensación era tan rara que se me ha secado la garganta y he empezado a toser haciendo que la primera intervención de mamá fuera un desastre.
#olemisnervios

A pesar de mi tos, mamá se ha mostrado bastante segura, un poco seria para imponer respeto pero también lo bastante simpática como para que la gente no le cogiera manía. Un 9,5 para ella.

Como mamá sabe que odio ser la primera de la lista, ha dicho que empezaría por el final. **Jaja.**

El jaja me lo he comido entero cuando, al decir el nombre de Roberto, mamá no ha podido evitar una leve sonrisa y un comentario fuera de lugar:

Mamá: ¿Ah, Roberto eres tú?
Roberto le ha mirado muy extrañado. Y mamá se ha fundido al darse cuenta de lo que había dicho.
Roberto: Sí, ¿por qué?

Yo, queriéndome morir.

Mamá, dando clase.

Mamá: No nada, es que... Mmm... curioso tu apellido. Bentley. Me ha hecho gracia. Jiji.

Después de la metedura de pata, mamá ha explicado el temario del trimestre y ha pedido que cada uno de nosotros le explicáramos qué es lo que más nos está gustando de primero de ESO. Ha dicho que así nos conoceríamos mejor.

Una gran mayoría de gente ha hablado de los experimentos de naturales del trimestre pasado, pero muchos otros han hablado con ilusión sobre las colonias que haremos a final de curso.

Cuando me ha tocado a mí contar lo que más me estaba gustando, he contestado nerviosa: "No sé... Todo". Todas las caras (incluida la de mamá y la mía) parecían decir: "¿Pero por qué respondes esta chorrada?". Me caía el sudor por la mejilla pero creo que nadie se ha dado cuenta.

Cuando se ha acabado la clase, la gente ha comentado que la nueva profe parecía maja.

En general había gustado y el intento de Roberto de popularizar el mote "la Perrito" no ha tenido éxito. Bien por mamá. **¡Tal vez no será tan horrible como temía!**

Jueves, 13 de marzo

Hoy la tía Rosi ha venido con Juan. Quería contarle a mamá que ha dejado a Marcelo, el novio de los chistes malos que conocimos en Navidad.

Mamá se lo ha tomado un poco mal y le ha dicho que, aunque era malísimo contando chistes, parecía buena persona, y que no podía ser que le cogiéramos cariño a un novio distinto cada seis meses. Tía Rosi argumentaba que eso de la pareja estable no es para ella, que le gusta demasiado conocer a gente distinta... y mamá le ha pegado un grito:

Mamá: ¡¡Pues entonces no me los traigas a casa por Navidad!! ¿Tú has pensado en cómo se lo van a tomar papá y mamá cuando lo sepan? Con la ilusión que les hacía... ¡Va a ser la hecatombe universal!

La tía, después de la bronca, no estaba arrepentida de haber dejado a Marcelo pero sí de habérselo presentado a los abuelos de Luxemburgo.

Ahora en la cama pienso en lo diferentes que son mamá y la tía en muchas cosas, y me pregunto: ¿Será que la tía no quiere escoger a uno solo porque los quiere un poco a todos? ¿Yo soy más como mamá, o más como la tía? Jolín, qué difícil. A mí me gusta Roberto pero también Fabián, y me costaría escoger entre uno y otro. Bueno, yo qué sé. Mejor me duermo.

Por cierto, pasado el drama de Marcelo, justo antes de irse, la tía me ha preguntado si alguna noche me interesaría hacer de canguro de Juan. ¡Sería mi primer trabajo! A pesar de que mamá duda si no soy demasiado pequeña, yo he aceptado sin pestañear. La tía me ve mayor de lo que me ve mamá, y eso me gusta. Aunque ahora que lo pienso...

YO + JUAN A SOLAS = ¡TERRRRROOOOORRRRR! 😐

Viernes, 14 de marzo

Hoy en la clase de la profesora-mamá hemos hecho dibujo técnico (su especialidad). Con el cartabón y el porta-ángulos teníamos que trazar diferentes tipos de triángulos. Cuando estábamos en ello, Felipe ha sacado su compás y lo ha dejado sobre la mesa. **¡BUA!** ¡Mamá había pedido que lo trajéramos y yo me lo había dejado en casa! Me he puesto nerviosa pensando en cómo la profesora-mamá trataría el asunto: ¿Sería dura conmigo? ¿Sería yo capaz de aguantar el chaparrón sin ponerme a discutir con ella como hago en casa?

Justo antes de que mamá pidiera que sacáramos el compás, se ha acercado disimuladamente a mi mesa, y en un gesto rápido, y simulando que se rascaba la pierna, me ha dejado la caja de mi compás encima de la mesa. **Jaja. ¡Qué bueno!**

Pensé que nadie se había dado cuenta hasta que Felipe ha soltado, extrañado:

Felipe: ¿La profe te ha traído un compás?

Yo: Aaaaah... No. Qué va. Me lo ha recogido del suelo.

Felipe: ¿Pero no acababas de decir que te lo habías dejado?

Yo: No. Sí. Al final sí que lo traía, pero se me había caído y no me había dado cuenta.

Durante la cena, mamá y yo nos reíamos contándoles la hazaña a todos y la abuela Paqui no paraba de decir que no le parecía bien nada de lo que estábamos haciendo.

Abuela: No me gusta tener farsantes como vosotras en mi familia.

Saber que a la abuela no le gusta mi idea me hace
sentir bastante mal, pero ahora no podemos
hacer otra cosa que seguir con el engaño...

¡A ver cómo acaba!

Domingo, 23 de marzo

Hoy la tía me ha pedido si podía ir a su casa
a cuidar de Juan porque ella quiere ir al teatro.
He dicho que sí con entusiasmo, aunque le he
preguntado si podía ir acompañada:

Tía Rosi: ¿Acompañada de quién? No me traigas
           bichos a casa, ¿eh, Lía?

Yo: No, bichos no. Mis amigas. Ana y Choco.
           Por favoooor...

Tía Rosi: Haz lo que quieras, pero yo solo pago
           a una, ¿eh?

He llamado a Ana primero y me ha dicho que no
podía porque tenía una celebración en su casa.
He escrito a Choco:

Choco: ¿Canguro? ¿Lo de limpiar cacas y dejar
         que te vomiten encima?

Yo: No. Lo de jugar con niños monísimos
         y aprender a cuidar de los más
         vulnerables.

Al final la he convencido. Hemos llegado cuando la tía se estaba arreglando y Juan jugaba a pasearse entre sus piernas. Tenía pintados unos bigotes de gato y estaba muy divertido. Al vernos entrar, ha puesto una sonrisa supersimpática que nos ha robado el corazón.

Juan: ¡Íaaa! (me llama Ía y me encanta.)
Yo: ¡Uy! ¡Pero si yo he venido a ver a Juan y tú no eres Juan! ¡Eres Richelieu!
Juan: ¡Nooo!
Yo: Sí, tú eres Rich, ¡A mí no me engañas!
Juan: ¡Nooooo! ¡Chi, no! (A Rich le llama Chi. Es taaaan monooo...)

La tía nos contó que nos había dejado una nota con instrucciones y la cena de Juan en la cocina: crema de verduras y hamburguesa. A las 19.30 cena. A las 20.30 durmiendo. Si le cuesta dormir, canciones. Si le cuestan las canciones, un cuento. Si le cuesta el cuento, mala suerte.

Entonces la tía se ha puesto el abrigo, le ha dicho a Juan que se iba y le ha dado un gran beso. Él parecía la mar de resignado y feliz pero cuando se ha dado **REALMENTE CUENTA** de que su madre se iba por la puerta, ha empezado a hacer pucheritos, después pucherazos y al final ha roto a llorar con una tristeza desgarradora. Yo le he cogido en brazos pero él no podía dejar de mirar a la puerta llorando a grito limpio: **¡Mamammmaaaaáá!**

Choco ha intentado consolarle poniendo caras divertidas pero, aunque a mí me parecían tronchantes, a Juan no le han producido ningún efecto. He encendido el televisor y he buscado un canal infantil. Por suerte, emitían unos dibujos del Cocinero Bigote, un cocinero chapuzas al que cada día le pasan desastres. Juan, al verlos, se ha callado inmediatamente y ha vuelto a sonreír. Por fin, cuando ha finalizado el capítulo, nos hemos ido a la mesa a comer.

Todo iba bien hasta que me he dispuesto a darle la hamburguesa. Como quería ser una canguro perfecta, he encendido con cuidado el fuego para calentarla en la sartén. El problema ha venido cuando Juan se ha metido el primer trozo en la boca y se ha quemado la lengua a base de bien. Ha pegado un grito mayúsculo **¡AAAAAAAAHHHH!** y ha empezado a llorar otra vez pidiendo que volviera su mami. Como no se calmaba para nada le hemos puesto otra vez la televisión, pero el Cocinero Bigote ya no estaba y solo emitían noticias o programas para adultos.

A todo esto, Choco había desaparecido. Y Juan no paraba de llorar.

He intentado calmarlo soplando muy fuerte
la hamburguesa, bailando con la hamburguesa,
hablando con la hamburguesa. "¿Verdad que no
volverás a quemar a mi primo Juan?", pero nada
daba resultado.

Hasta que la voz de Choco, simulando una voz
de señor, ha aparecido por la puerta diciendo:
"¿Quién está llorando tanto?"

Juan se ha callado de golpe. Y Choco, con un
gran bigote negro pintado en la cara ha aparecido
blandiendo una cacerola y un escurridor.

Yo: ¡Ala! ¡El Cocinero Bigote!
Juan: ¿Gote?
Yo: Sí, el cocinero Bigote ha venido a ver
          cómo te comes la hamburguesa.
Choco: ¿Te estás comiendo la hamburguesa, Juan?
Juan: Ti.
Choco: ¿A ver?

Y Juan se ha comido, por fin, un trozo.
A continuación me ha mirado y me ha dicho:

Juan: ¿Gote tú?

Yo: No, yo no soy el Cocinero Bigote.

Juan: ¡Gote tú! ¡Gote tú!

Y entonces Choco, temiendo que Juan volviera

a llorar, me ha pasado el rotulador.

Choco: Es el que ha utilizado tu tía con los

            bigotitos de tu primo, se va con agua.

Me ha pintado a mí otro gran bigote negro

y hemos empezado a hacer un poco de teatro:

Choco: ¡Ey! ¡Tú no eres el Cocinero Bigote!

            ¡Soy yo!

Yo: ¡No! ¡Soy yo! ¡Farsante!... ¿Te estás

            comiendo la hamburguesa, Juan?

            ¿Te gusta mucho esta hamburguesa?

Juan: Ti.

Y así han pasado los siguientes veinte minutos.
Choco y yo haciendo el payaso y Juan riéndose
y acabándose la hamburguesa y la manzana. **Bffff.**

Cuarenta y cinco minutos más tarde de lo que
la tía nos había dicho, después de lavarle los
bigotes con agua y jabón y ponerle el pijama,
Juan se ha dormido feliz en su cama. **¡Misión
Cumplida!**

Justo antes de acabar de cenar ha llegado la
tía. Se ha reído mucho al vernos los bigotes y
me ha entregado la primera paga de mi vida, que
naturalmente he compartido con Choco. ☺

Antes de llamar a papá para que nos viniera a buscar, hemos ido al baño para recuperar nuestra apariencia original. Nos hemos lavado la cara con jabón tal como lo habíamos hecho con Juan. Fshhhh... fshhhh... fshhh... ffffssshhhh... Pero al levantar la cara...

¡AAAAAAAAAHHHHHH!
¡El bigote seguía ahí! ¡Intacto!

No lo entendíamos. Y para no ponernos nerviosas, hemos cogido otro jabón y nos hemos restregado más rato, más fuerte y con más entusiasmo. Pero al levantar la cabeza....

¡AAAAAAAAAAAAAAAAAHHHHH!
¡¡¡SOCORROOOOOOO!!! ¡NOOOOOO!

Yo: Pero... Choco, ¿no dijiste que era el rotulador que había utilizado la tía con Juan?

Choco: ¡Sí! Bueno... ¡Eso supuse! Mira...

Choco me mostró el rotulador.

Yo: ¡Tía Rosi! ¿Este es el rotulador de agua con el que pintaste a Juan?

Tía: Uy, no, este es el que utilicé para dejarte las instrucciones de la cena... Lo... iuy...! ¡Ay, madre!... Lía... ¿No se va?

¡AAAHHHHH!

La tía intentó ayudarnos a borrarlo con un poco de alcohol. Pero, en vez de quitarlo, lo expandía más y además la piel se enrojecía por el escozor...

DESASTRE NUCLEAR. ALARMA. CATACLISMO. HECATOMBE.

La tía estaba preocupada aunque, cuando nos despistábamos, la veíamos reírse por debajo de la nariz... Al final, viendo que el problema sería más grave si seguíamos quemándonos la piel con alcohol, se ha puesto seria y ha dicho que lo único que necesitábamos era paciencia. Que no era ningún drama y que ojalá todos los problemas fueran como ese.

¡¿Que no era ningún drama?! ¡¿Al día siguiente tendríamos que ir al instituto con esa pinta?!

¡NOOOOOOOOOOOOOOOO!

Lunes, 24 de marzo

Al despertarme, lo primero que he pensado ha sido en el maldito Cocinero Bigote. Me he ido corriendo al baño, y ahí estaba el mostacho, riéndose de mí. Convirtiéndome en una chica de dibujos animados que debía asistir a clase en el mundo real. ¿Qué podía hacer?

☐ Ponerme un par de tiritas y decir que me había... ¿quemado?, ¿herido? DESCARTADO POR... RARO.

☐ No ir al insti. ¿Decir que estaba enferma? MAMÁ LO HA DESCARTADO POR MÍ.

La opción menos mala ha sido ponerme un poco de maquillaje para taparlo. Me sentía rarísima, como si estuviera en carnaval. Pero la verdad es que se me veía mucho menos y he podido ir al insti un poquito más tranquila.

Al llegar, Choco ya estaba ahí, sin maquillaje alguno, aguantando el chaparrón de mofas, risas y comentarios. Ella estaba seria como siempre y no dejaba entrever ni un centímetro de vergüenza. Yo me he puesto a su lado y todos han visto que debajo del maquillaje también vivía un alienígena en forma de bigote negro.

Choco: ¿Qué pasa? Hicimos de canguro con su primo Juan y nos equivocamos de rotulador. ¿Vosotros no os equivocáis nunca? ¿Vosotros sois perfectos?

La estrategia de Choco ha sido ideal. La gente se ha reído mucho de nosotras al principio pero poco a poco se ha ido cansando. Pasadas cinco horas en el instituto nadie de la clase nos hacía comentarios tontos, solo sonreían. Todo bien pero... ¡ESPERO QUE MAÑANA EL BIGOTE YA NO ESTÉ AHÍ!

Martes, 25 de marzo

Aún está. ☺ Y no veas cómo se ha reído de mí el señor Penoso... (hoy le llamo así porque se lo merece).

Miércoles, 26 de marzo

¡Pesado! ¡Vete al Reino de los Bigotes de una vez! ¡Déjame en paz! (sigue ahí, gris, pero vivo).

Jueves, 27 de marzo

Por fin el bigote se ha largado definitivamente. **Cuatro días** en el instituto con ese bicho pegado.

¿Sabes? Creo que lo echaré un poco de menos porque durante cuatro días, la gente, hasta los profes, al verme, parecían estar más contentos. ☺ También pasó algo curioso: durante estos 4 días la gente empezó a pintarse cosas en la piel con rotuladores permanentes y se creó como una moda. Cicatrices, gafas, relojes, tatuajes, pendientes, pulseras... **Jaja.** Al final, aunque los profes lo veían como un acto de solidaridad con Choco y conmigo, cuando Felipe llegó con todo el brazo pintado con una tela de araña, desde dirección anunciaron que quedaba prohibido pintarse nada en la piel.

Adiós, bigote, adiós. No te echaré de menos pero te recordaré siempre.

Sábado, 29 de marzo

Hoy la abuela, sus amigos, el Sr. P., y yo hemos preparado la marioneta para la manifestación del día 3. Aunque el Sr. P., como siempre, estaba serio y poco hablador, verlo trabajar, organizarse y explicar lo que cada uno debía hacer era fascinante.

Hasta la abuela le miraba con admiración... Y creo que él, a su manera, disfrutó con ello.

Al cabo de una hora y media de trabajar, nuestra supermarioneta empezaba a intuirse, aunque fuera por partes. Se necesitarían como mínimo cuatro personas para llevarla. Si todo iba según lo previsto ¡acabaría midiendo más de tres metros de alto! Un gran Gulliver reivindicativo.

¡Había quedado preciosa! Solo faltaba pintar algunas partes y ponerle algunas piezas de vestir. ¡Ah!, sí, y la cabeza. La cabeza no podría ensamblarse hasta sacar al gigante del edificio,

el mismo día de la manifestación. El Sr. P. ha dicho que si le dábamos permiso acabaría él mismo la cabeza en su casa. Y, sin despedirse apenas, se ha marchado.

Una vez se cerró la puerta, los amigos y amigas de la abuela la frieron a preguntas y comentarios. La conclusión general es que el Sr. P. es un genio loco. Y que si se quita la barba horrible tal vez aparecerá un señor totalmente nuevo. Tal vez guapo. Tal vez más joven, tal vez invisible.

Lunes, 31 de marzo

Hoy teníamos clase con mamá y tocaba dibujo de temática libre. Cuando hemos entregado nuestras creaciones, mamá no le ha hecho mucho caso al mío (¡era muy bonito! Snif), pero ha elogiado enormemente el de Patricia Soler por su originalidad, colores y expresividad. Aunque he intentado encajarlo bien, **¡ME HA DADO MUCHA RABIA! GRRRR.**

Lo triste ha sido que, una vez en el vestuario de gimnasia, he oído como Patricia se reía de mamá delante de unas cuantas diciendo que era una mema inocente, porque había copiado su dibujo de la revista *Pop is Top...*
¡GRRRRRRR al cuadrado!

Por la noche yo me había propuesto no decirle nada a mamá para no liarla y porque no quiero ser una chivata. Además, si hace de profe, debe entender que en la vida los chicos y chicas A VECES COPIAMOS y no somos 100% perfectos... PERO, para ponérmelo aún más difícil, mamá ha empezado a hablar (delante de papá y la abuela) maravillas de Penosa Soler. Que si el dibujo era tan bonito y ella tan agradable, que no sabe por qué le tengo tanta manía, que le parece buena chica... Por dentro, el secreto que yo guardaba se iba hinchando hasta doler. Tanto, que finalmente he explotado:

Yo: ¡PUES QUE SEPAS que el dibujo taaan bonito y precioso de la estupenda Patricia Soler lo ha copiado de la revista *Pop is Top*, y ha estado contándoselo a todo el mundo y riéndose de ti!

S I L E N C I O

Mamá se ha quedado blanca. Me ha mirado seria, creo que se sentía traicionada hasta lo más hondo, me ha dado las gracias por habérselo dicho y me ha pedido que no hablásemos más de temas del instituto. Aunque hemos charlado de otras cosas, mamá y yo estábamos incómodas y a ella se le veía un poco triste. Se ha ido a dormir sin ver la tele, ni leer ni nada, y papá me ha dicho que yo había sido demasiado brusca.

Pfff Ahora me siento fatal. ☹

Miércoles, 2 de abril

Esta mañana el ambiente seguía un poco raro en casa. Por suerte, en el insti, la de gimnasia ha venido a charlar con nosotros en el recreo y se ha puesto contenta al saber que nos estamos preparando (no soy la única) para las colonias olímpicas. Yo hago bici y *footing*, Roberto también, y además juega a fútbol en un equipo del barrio, Felipe sigue patinando, Choco sigue sudando con su *skate* y Ana sigue con sus flexiones neuronales. (Me pregunto qué estará haciendo Fabián.)

La profe nos ha adelantado qué tipo de pruebas haremos: habrá natación, baloncesto, velocidad, resistencia (bufff), relevos, y algunas sorpresas que no ha querido desvelar. Deberemos ir bien equipados y nos ha pedido que trajéramos una linterna o un frontal (una de esas linternas que se sujetan a la cabeza con una goma) porque habrá una prueba sorpresa que se realizará por la noche... ¡Uuuuuhh! ¡No sé si alegrarme o ponerme a temblar!

Viernes, 4 de abril

Primer día de clase de plástica después de que mamá supiera del engaño de Patricia. Yo le pedí por favor que no le dijera nada y, aunque ha callado, se ha presentado en clase con la revista *Pop is Top* asomándole en el bolso descaradamente. Cuando Patricia se ha dado cuenta, se ha puesto verde. Entonces mamá ha dicho que si alguna persona quería hacerle algún comentario sobre el dibujo de la clase anterior, podía hacerlo por la tarde, ya que ella estaría en el despacho de profesores.

Patricia no sabía dónde meterse. **¡Tendría que confesar que había copiado!**

Yo estaba disfrutando de la dulce revancha de mamá cuando la mala suerte que me caracteriza ha estropeado el momento.

Hoy mamá pensaba explicar diferentes estilos de pintura mostrando imágenes de su ordenador

con el proyector de clase. Ha apagado las luces y ha empezado la función. En un momento desafortunado y triste, mamá se ha entretenido explicando no sé qué de los colores y, cuando estaba de espaldas a la pared, se ha disparado el salvapantallas del ordenador. ¿¡Y qué tiene mamá de salvapantallas!? **¡DESASTRE!**

Proyectada en la pared blanca inmensa del fondo de la clase **HE APARECIDO YO DE PEQUEÑA** en bañador y comiéndome un helado. Se ha oído un **"¡OH!"** y después un **"¡OH!"** aún más grande cuando he vuelto a aparecer vestida de paje real haciendo una mueca. Entonces mamá se ha dado cuenta del desastre y ha apagado el proyector sonriendo de lo lindo...

Todo el mundo me ha mirado de golpe y mi cara era un poema (suerte que ya no tenía bigote, porque hubiera hecho el ridículo al cuadrado). Por suerte, mamá ha reaccionado superrápida:

Mama: Bueno, bueno... De esta forma tan original, Lía y yo os queremos decir, tal vez un poco tarde, que soy su madre. No queríamos que hubiera incomodidad por parte de nadie, pero nos hemos dado cuenta de que es una tontería no explicarlo, y me disculpo si esto os ha podido hacer sentir mal. Yo seguiré siendo vuestra profesora hasta final de curso y os pido que seáis tan buenos alumnos como lo habéis sido hasta ahora, ¿de acuerdo? ¿Seguimos?

Por lo visto algunos profes se han quejado
y ha habido ~~bastante~~ un poco de polémica, pero
al final en dirección han entendido que no había
mala fe. Mama se está haciendo amiga de Sergio,
el de naturales, y sé que él le ha dado todo
su apoyo.

Seguro que recibiré críticas de Patricia Soler,
pero lo de su dibujo copiado nos pone en tablas,
así que creo que no será demasiado dura.

El que no ha tardado en hablarme del tema ha sido Roberto. Aunque se le notaba algo dolido por el "engaño", se ha disculpado por haber llamado "perrito" a mi madre. Me ha comentado que lo había dicho por decir y que no lo pensaba de verdad. Yo no tenía derecho a enfadarme, así que le he pedido perdón, también. Tablas otra vez.

Tal vez me equivoqué pidiendo a mamá que disimulara. Y creo que a ella le sabe mal haberme hecho caso. Al final, a pesar de todo, nos hemos reído bastante. Prometemos que no lo volveremos a hacer. ☺

Sábado, 5 de abril

Hace un par de semanas que, algunas noches, Manu y yo salimos a correr por la calle antes de cenar. Él porque ya lo hacía, y yo para seguir cogiendo forma y fondo para las colonias olímpicas que poco a poco se acercan. (¡Estoy mejorando mucho!) A raíz de nuestra excursión al bosque, a mamá le quedó el susto en el cuerpo y, las noches en que papá no trabaja, le insiste para que también nos acompañe. Él se queja porque sabe que no nos pasará nada malo, pero siempre acaba cediendo para complacerla.

Esta noche queríamos salir a correr y mamá le ha pedido a papá que saliera con nosotros porque, además de la tranquilidad que le da, hoy venía una amiga suya y hablarían con más calma si estaban solas. Sorprendentemente, papá no se ha hecho de rogar demasiado y ha accedido a acompañarnos enseguida. **Mmmm... ¡Raro!**

¿Por qué?

Lo hemos entendido, cuando, una vez en la calle, papá nos ha dicho que fuéramos NOSOTROS a correr, que ÉL se quedaba en el bar Budo a ver la final de la liga de baloncesto. **Jaja.** **¡Qué morrooooo!**

Manu y yo le hemos dejado ahí y hemos emprendido la marcha. Sin hablar, concentrados. Cuando habíamos hecho la mitad del recorrido ha sonado mi móvil. Era mamá. Al contestar, me

ha pedido que por favor le pasara el teléfono a papá porque tenía que comentarle algo. ¡¡¡Ahhh!!! He mirado a Manu con cara de susto. ¿Qué debía hacer? ¿Mentir otra vez? ¿Traicionar a papá?

Yo: Ah... Mamá, ahora mismo te lo paso, un momento, pero no podréis hablar mucho porque... me estoy quedando sin batería...

Mamá: Pues corre, corre, pásamelo.

Yo: Pero... ¿Por qué no me lo dices a mí y yo se lo comento?

Mamá: ¡Que quiero hablar con tu padre, Lía!

Yo: Es que se ha quedado un poco atrás abrochándose las zapatillas... Mamá creo que se va a cortar, ¡se me acaba la batería!

He colgado y apagado el teléfono y en ese momento, claro, mamá estaba llamando a Manu. Esta vez nos hemos asustado... ¿Y si lo que mamá quería decirle a papá era algo IMPORTANTE? ¿Y si le había pasado algo a la abuela? ¿Y si había caído un meteorito en la terraza? ¿¡Y si Cocodrolo había hablado!?

Manu ha contestado:

Manu: Dime, mamá.

Mamá: Pásame a tu padre.

Manu: Papá está supercansado y no puede ni hablar. Dice que en un ratito te llama.

Mamá: Bueno, da igual, déjalo, dile a papá que mi amiga no ha venido, que la abuela no está y como me aburro mucho me bajo al bar Budo a ver la final de Baloncesto. No os canséis mucho. ¡Adiós!

¡AAAAAAAAAAAAHHHHHHHHHHHHH!

Calculando dónde estábamos nosotros respecto al bar y dónde estaba mamá... ¡Para llegar ANTES QUE ELLA debíamos hacer récord olímpico!

Nos hemos puesto a correr como si nos fuera la vida en ello. En algún momento, Manu me tiraba de la mano para ayudarme a avanzar y entonces volábamos, pero en otros los semáforos en rojo nos paraban y no podíamos parar de gritar: **¡Venga, venga, venga!**

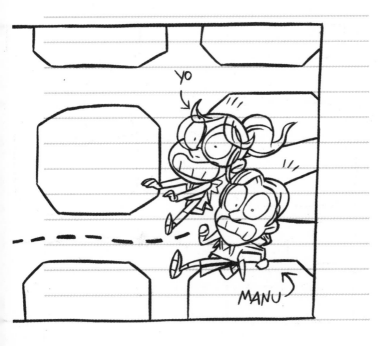

Hemos hecho la carrera de nuestra vida. ¡Bien!
Al llegar a la esquina justo antes del bar, vimos
a mamá acercarse desde el final de la calle, en
la otra acera. Rezando para que no nos viera
y medio escondidos detrás de un grupo de gente
hemos logrado entrar en el bar unos diez metros
por delante de ella.

Una vez dentro, Manu ha corrido entre las
sillas para coger a papá del cuello de la camisa
y llevárselo como una mamá gata hacia la barra.
Pero... **¡AAAAAY! ¡¡MAMÁ YA ESTABA
EN LA PUERTA!!** Imposible salir del bar sin ser
vistos...

Papá: ¿¡Pero qué pasa!?
Manu: ¡No hay tiempo! ¡HACIA LOS BAÑOS!

Y eso hemos hecho. Justo cuando la puerta del
bar se abría, Manu, papá y yo desaparecíamos
por la esquina de los baños... **Buffff.** Mirando por
una rendija hemos visto la cara de felicidad de
mamá al descubrir que, en un lugar privilegiado,
había una silla vacía. (¡Mi silla!, se lamentaba papá.)

Ya podíamos respirar porque el primer problema estaba resuelto.

El segundo problema sería salir de allí.

Manu: ¿Falta mucho para que se acabe el partido?

Papá: Media hora como mínimo. ¿Qué hace mamá aquí?

Yo: Se aburría en casa porque su amiga no ha venido. Nos ha llamado.

Papá: Pues ahora no se va aburrir. El partido está emocionantísimo.

La siguiente media hora ha sido una muestra del patetismo más absoluto. Mientras nosotros solo veíamos el culo del televisor sentados en la taza del váter, una treintena de personas lideradas por mamá vibraban con cada canasta, con cada falta y tiro libre. **¡UUUY! ¡AAAY! ¡VENGAAA!** Por suerte, en el bar nos conocen y nos trajeron patatas y algo de beber. ☺

En un momento dado, un camarero ha venido corriendo.

Camarero: ¡Que se levanta!

Nos hemos escondido los tres en el baño de hombres mientras mamá se acercaba al de mujeres. A la señal del camarero hemos corrido los tres hacia la puerta. Papá ha lanzado una mirada triste hacia la pantalla del televisor y rápidamente hemos echado a correr en dirección a casa mientras los clientes del bar nos miraban desconcertados.

Al cabo de media hora de estar en casa escuchando el partido por la radio, ha llegado

mamá superfeliz y nos ha contado lo bien que
se lo había pasado.

Papá, enfadado, le ha dicho que era la última
vez que nos acompañaba a correr porque
por su culpa se había perdido el baloncesto.
Lo ha dicho tan contundente que mamá no
ha replicado. Al contrario. Mamá se ha puesto
cariñosa con él y le ha dicho que tenía razón,
que ya somos mayorcitos y que lo mejor hubiera
sido que le hubiese acompañado al bar, porque
le había echado de menos. Papá no sabía
dónde meterse. He creído que iba a confesar
pero no lo ha hecho. (Quiero pensar que para
protegernos.)

Entre el engaño de la profe-mamá y esto... estoy
teniendo un carrerón de mentirijillas que, de
seguir así, ¡me darán un premio a la mejor actriz!
Papá se ha dado cuenta de eso y nos hemos
prometido que basta. Basta de mentiras y medias
verdades. Que vuelva la sinceridad a la familia
porque se vive mejor y con más tranquilidad!
¡EA EA! ¡QUE ASÍ SEA!

Martes, 8 de abril

¡Noticia! ¡Noticia!
Esta Semana Santa... ¡VIENEN LOS ABUELOS DE LUXEMBURGO!

Si acaso, esto que comenté el sábado de los engaños y las mentiras, lo dejamos para más adelante, ¿ok? ☺ Te cuento:

Por lo visto los abuelos, debiluchos como están, no pueden esperar más a vernos a todos, especialmente a su pequeño nieto Juan y al novio de la tía Rosi, que aún no conocen en persona. El problema es que TÍA ROSI ROMPIÓ CON MARCELO HACE MÁS DE UN MES (y la tía no se lo ha dicho).

¡UPS, UPS, UPS!

Al enterarse de la noticia mamá nos ha convocado a una cena de emergencia y nos ha convencido a todos de que no podemos arriesgarnos a que el disgusto por lo del novio haga empeorar la salud de los abuelos. No deben, de ninguna manera, enterarse de la ruptura. (Ha convencido a todos menos a la abuela Paqui, que no estaba de acuerdo.)

¿Cómo podríamos hacerlo? La solución pasaba, otra vez, por saltarnos la prohibición de no mentir y volver a las mentirijillas piadosas que parece que se han puesto de moda este año en mi familia. Mamá ha preguntado si era posible que Marcelo viniera igualmente a una comida, pero la tía ha dicho que no, que él acabó con el corazón muy roto y que no puede pedirle algo así. Entonces, ¡¿qué?! Manu ha propuesto una solución: ha dicho que los abuelos tienen una birria de ordenador y seguro que no vieron nada bien la cara de Marcelo. En realidad podría hacer de Marcelo cualquier otra persona...

¡UALA! La familia entera (menos la abuela) hemos decidido que sí, que esa era la única solución posible. Muy bien. ¿¿PERO QUIÉÉÉN podría ser el falso Marcelo?? Todos hemos empezado a decir nombres (menos la abuela).

Amigos, maridos de amigas, compañeros de trabajo de papá... A todos les encontrábamos pegas, ya fuera porque nos daba vergüenza pedírselo o bien porque sabíamos que no sabrían meterse en el papel de novio que cuenta chistes malos.

Al final, mamá nos sorprendió con un gran candidato:

Mamá: Lía, ¿y si se lo pido a Sergio?

Yo: ¿Sergio? ¿El de Naturales?

Mamá: Es simpático, abierto, le gusta divertirse... ¿Por qué no?

Yo: Pero tiene barba...

Papá: ¡La barba vuelve a crecer!

Y así ha sido como se ha gestado el **PLAN PIADOSO** para engañar a los abuelos con el falso noviazgo de la tía Rosi.

Jueves, 10 de abril

Hoy he visto a mamá con la tía tomando un café delante del Instituto con Sergio, el de Naturales. Por las caras era evidente que le estaban proponiendo **¡EL PLAN!** Y he deducido, por cómo se reían, que Sergio había aceptado. Efectivamente, por la noche, mamá me lo ha confirmado. Él será, por una cena, Marcelo, el novio de la tía Rosi.

Mamá-profesora, Sergio-Marcelo... ¡Espero no hacerme un lío! ¡Jaja!

Sábado, 19 de abril

Ya han llegado los abuelos a la ciudad. Sé que la
tía y Sergio quedaron el otro día para conocerse
mejor y preparar la GRAN FARSA. Y HOY era
el día del encuentro. El día en que los abuelos
venían a comer con toda la familia.

Sergio y la tía han llegado bastante antes que
los abuelos para acabar de explicarse detalles
de la familia, para que conociera al primo Juan y
para que Sergio se sintiera cómodo en nuestra
casa (¡tener a un profe dentro de casa es
extrañísimo!). Él llegó con su barba de siempre
pero preparado para una ardua sesión de
afeitado y peluquería para parecerse al máximo
a Marcelo. Una vez afeitado estaba muy raro. No
era Marcelo pero al menos sabía imitar muy bien
su sonrisa inmensa y su manera de hablar. Entre
todos intentaríamos que el "invento" funcionara.

Cuando los abuelos han llegado, estábamos
todos un poco tensos y, al contrario de

lo que pensábamos, no miraron a Sergio/
Marcelo con extrañeza. (Lo más extraño
del ambiente era la cara de palo de la abuela
Paqui.) Se dieron muchos besos y abrazos
y todo pareció fluir normalmente. El primer
obstáculo lo hemos encontrado cuando la
abuela de Luxemburgo se ha dirigido a Marcelo
y le ha preguntado cómo había acabado lo de
los neoturrones... **¡AH!** ¿¡Alguien se lo había
contado!?

Sergio: ¿Los neoturrones?
¡Ups! ¡No había tiempo para contarle nada!
Sergio/Marcelo: Pues... los neoturrones... A ver
                que me acuerde... Mmm... Buenos.
                ¡Sí señor! Muy ricos.
Abuela de Lux: ¿Ricos? Pero... ¿No acabaste
                en el hospital?

☹ generalizado

Sergio/Marcelo: Aaahhh, bueno, sí, pero eso no
                quita que los encontrara buenos,
                es que no me acuerdo mucho,

con lo mal que lo pasé... ¿Verdad,
cariño? (Ha mirado a la tía
pidiendo auxilio.)

Tía Rosi: No hablemos de eso, que fue muy
triste. ¡Hablemos de otra cosa!

Aunque un poco a lo bestia, hemos superado la
prueba. Sergio ha aprobado también el capítulo
de contar chistes malos (se lo había preparado
a conciencia, eran un horror) y el de ser un
plasta con la tía, que le llamaba "pesadito" de
vez en cuando, como en Navidad. Poco a poco
el foco de atención ha dejado de ser Sergio/
Marcelo y hemos pasado a otros temas mientras
brindábamos con copas llenas de fresca agua del
grifo de Luxemburgo.

Al final, han querido disfrutar de su pequeño
nieto Juan y le han estado haciendo monerías
bastante rato hasta que el niño ha empezado a
cansarse y a pedir otros brazos. La tía Rosi se
ha levantado a cogerlo pero la abuela ha soltado
algo que ha estado a punto de tirar TODO
NUESTRO PLAN POR LA BORDA:

Abuela: No, deja, Rosita, deja que lo coja

Marcelo, que seguro que este niño está

encantado con su papá y yo quiero

hacerles una foto juntos...

Sergio/Marcelo: Papá, papá, creo que aún no...

Abuela de Lux: Tú, cógelo, anda.

Y SE HA HECHO EL SILENCIO. Solo podía

oírse el runrún de nuestros cerebros en alerta.

¡Pelotón al rescate!

Mamá: Ya lo cojo yo, que también lo echo de menos...

Papá: O yo, que me tiene poco visto...

Yo: Primito... ¡ven con Lía Bigote!

Abuela: ¡Parad! ¡Queremos que sea Marcelo quien lo coja, POR FAVOR!

Y Sergio ha sonreído con cara de circunstancias alargando los brazos en dirección al niño, que había hecho una pausa en su llanto.

Al tiempo que la abuela se lo acercaba, Juan intentaba tirarse a los brazos de su madre que, a su vez, intentaba con una sonrisa direccionarlo hacia Sergio... Finalmente la abuela lo forzó y lo dejó, porque sí y a la fuerza, en los brazos de Sergio, que intentaba poner su mejor cara. Juan ha mirado a Sergio con cara de estar viendo por primera vez en su vida a ese señor... (lo acababa de conocer tres horas antes). Todos estábamos en vilo, a la espera del gran desastre.

Pero por sorpresa, en vez de arrancar a llorar, Juan ha mirado detenidamente a Sergio y ha levantado lentamente la mano ("Ahora le da un mamporrazo", he pensado yo). Pero en vez de eso ha empezado a tocarle la cara.

Abuela: ¡Ay! Qué monada... Le hace cariñitos...

Juan finalmente ha abierto la boca ("Ahora se pone a llorar", he pensado yo) y nos ha vuelto a sorprender cuando le ha dicho a Sergio:

Mi primo Juan buscando la "baba" de Sergio, jaja.

Juan: ¿Baba?

¡Uala! Todos sabíamos que Juan acababa de preguntarle por su barba, pero con una sola mirada supimos lo que debíamos hacer:

Todos: ¡Le está llamando "papa"! Qué mono...

Abuelos: ¿Le está llamando "papa"?

Todos: ¡¡¡Sí!!!

Juan: ¿Baba?

Y entonces, al ver que los abuelos le hacían fotos con ese señor sin barba, Juan ha empezado a llorar bien fuerte pidiendo otra vez los brazos de su madre. Aunque los abuelos no entendían por qué no quería estar en manos de su "baba", no han insistido más. Lo que acababan de ver y oír les daría tranquilidad y alegría para el resto de sus días.

Por otro lado, la que seguro que no sentía ni alegría ni tranquilidad era la abuela Paqui, que ha estado seria toda la comida. Cuando los abuelos se han ido, se ha despachado a gusto:

Abuela: Tratáis a los abuelos como si fueran

tontos. ¿No os dais cuenta de que lo del novio lo entenderían perfectamente y lo que no soportarían es saber que les hemos tomado el pelo delante de sus narices? Y, ya que estamos, tampoco me parece bien que Lía se saliera con la suya con lo de fingir en el instituto que no eras su madre... Si toleramos las mentiras con cualquier excusa, al final tendremos que aceptar cualquier engaño... No puede ser que todos vengáis a manifestaciones a gritar que el gobierno nos miente, y a la vez predicar con este ejemplo... ¡Conmigo no contéis nunca jamás!

Y se ha encerrado en su habitación dando un portazo.

Buf. Nos hemos quedado tocados. Yo especialmente, porque no estoy acostumbrada a que la abuela me riña. Nos hemos prometido que esta vez sí, se acabó. Tiene razón. Y no hay más que hablar.

Por la noche, me pareció que la abuela se marchaba al piso de abajo con una botella de vino bajo el brazo... Y me pareció oírle charlar y hasta reírse... ¿¡Se están haciendo buenos amigos ella y ese señor mayor con "baba"!? ☺

Sábado, 3 de mayo

Por fin llegó el día de la manifestación. Desde primera hora de la tarde se veía gente por la calle con banderas, pancartas, carteles, gorras y camisetas reivindicativas. Las Invencibles habíamos pintado la pancarta de nuestra marioneta. Con letras preciosas, hemos escrito: "Si no es entre todos... ¿Cómo es?". Ayer, la abuela me explicó muy bien por qué se había convocado, qué se defendía y me preguntó si de verdad quería ir. Me dijo que me lo pensara muy en serio y eso he hecho. Para ella, los que gobiernan ahora el país toman decisiones para acabar con la crisis que perjudican a millones de personas, que son, mayoritariamente, más pobres que ellos. ¿Me parece justo quejarme de eso? ¡Pues claro que sí! Iré a la mani y no se hable más.

Entre unos cuantos hemos bajado la marioneta sin cabeza por las escaleras de nuestro edificio. Algunos opinaban que podíamos llevarla tal cual porque era como una metáfora del futuro

Si seguimos como ahora... ¡Gente sin cabeza! Cuando el señor P. ha aparecido por la puerta con LA CABEZA terminada y dispuesto a colocarla, nadie ha dudado si había que colocarla o no: era preciosa y además... **¡JAJA! ERA LA CABEZA DE LA ABUELA!** Una réplica exacta. ¡Un homenaje! Con su pelo, su gorra, su nariz ganchuda y su sonrisa... La abuela, al ver su cara gigante en la marioneta, no sabía qué decir. Por suerte, una de sus mejores amigas le ha echado un cable:

Amiga: Paqui, creo que si no le das las gracias
         ahora mismo al Sr. Pérez, tendremos
         que pedirte que te vayas a un rincón
         a reflexionar...

La abuela se ha acercado al Sr. P. (que hoy no
iba con bata, pero sí con pantuflas), le ha cogido
la mano y le ha dicho:

Abuela: Gracias. Es una hermosura. Espero que
        hoy, cuando haya cumplido su misión,
        me la regale.

Sr. P.:   Yo no regalo nada que no sea mío.
          Y esto no lo es.

Abuela: Gracias igualmente, señor antipático.

Sr. P.:   Venga, venga, ale... ¡Que esos
          espantapájaros del gobierno se enteren
          de lo que vale un peine!

Abuela: ¿Y usted? ¿No viene?

Sr. P.:   Uy, no... Yo ya he hecho lo que tenía que
          hacer... ¡Ahora os toca liarla a vosotros!

Y allí lo hemos dejado.

Al vernos llegar, la gente se asombraba, nos
felicitaba y nos abría paso...

Los manifestantes estaban muy motivados y no paraban de gritar consignas y pedir cambios... Finalmente, la marioneta ha acabado encabezando la manifestación y mamá y papá han dicho que hemos salido en todos los telediarios. ¡Incluso entrevistaron a la abuela para una radio!

Periodista: ¿Qué representa esta marioneta? ¿Qué reivindicáis?

Abuela: Representa el alma inmensa de tantos y tantos profesores y alumnos

luchando por una educación pública
de calidad, que ahora está en peligro.

Periodista: ¿Y quién ha hecho este muñeco tan
precioso?

Y aquí yo he intentado hablar:

Yo: Bueno... Hay un señor que vive...

Y la abuela me ha interrumpido.

Abuela: Es un trabajo de equipo. SI NO ES
ENTRE TODOS... NADA PUEDE SER.
☺

Por la noche he ido a ver al Sr. P. que también nos ha visto en la televisión. Aparte de quejarse de que llevábamos la marioneta torcida, ha dicho que había quedado resultona. No ha preguntado si la abuela se la ha quedado, pero creo que no hace falta.

Yo: ¿La marioneta es lo primero que ha hecho desde que dejó el teatro?

Sr. P.: ¿Has venido a visitarme solo para tocar las narices?

Yo: ¿No le gustaría volver a trabajar? Es usted un crack.

Sr. P.: Claro que no. Eso se acabó.

Yo: La gente nos preguntaba quién la había hecho.

Sr. P.: Ya lo vi. Suerte que tu abuela tiene más cabeza que tú.

Yo: ¡El mundo debe saber que usted aún puede hacer cosas!

Sr. P.: Sí, es verdad. Fíjate bien lo que sé hacer.

Ha encendido la tele y no ha vuelto a abrir la boca.

Cuando me iba, vi que la puerta de la habitación

de los trastos estaba medio abierta. Esparcidos
por el suelo, como si fueran para tirar, había
algunos recortes, periódicos y álbumes antiguos.
Conseguí leer un titular: "Pérez-Server lo vuelve
a lograr en París con su arriesgada escenografía
de Cyrano de Bergerac"... ¡Uala! No se llama señor
Pérez tal como pone en el buzón.

¡Se llama Pérez-Server!
¡Y trabajó en París!

Domingo, 25 de mayo

¡Felicidades! La agenda que me regaló Fabián se ha encargado de recordarme que hoy es el **DÍA DEL ORGULLO FRIKI.**

Aunque yo no me siento una friki, parece ser que cuando alguien te ve "diferente" (porque te gusta la cultura japonesa, porque vistes de negro, rosa, amarillo, o porque eres un loco de cualquier cosa), pueden y puedes considerarte un auténtico o auténtica friki. En mi caso, se debe a mi pasión (según todos, desmesurada) por los animales. Primero me molestaba. Ahora, hasta me gusta. Pues sí, soy una friki* de los animales. ¿Qué pasa?

*Wikipedia: "Friki es un término coloquial para referirse a una persona cuyas aficiones, comportamiento o vestuario son inusuales."
¡Viva el orgullo friki, ea!

Domingo, 8 de junio

Esta tarde me dedicaré a hacer la mochila porque... **¡TACHÁN!** mañana me marcho, por fin, a las colonias deportivas de 1.º de ESO. Lo más aburrido de todo ha sido marcar con mi nombre toda la ropa que tengo que llevarme. Cuando estaba con la plancha pegando etiquetas se me ha ocurrido una trastada...

Instrucciones: Se cogen las prendas más feas, horteras, cutres o cursis disponibles. Se marcan con el nombre de la persona a quien quieras gastar una broma... Se dejan las prendas en una ducha, piscina o similar... Se esperan las reacciones.

Ejemplo: Camiseta "Yo también soy un Supercacahuete" o "¡Soy inteligente como la PIZZA caliente!" marcada con el nombre, por ejemplo, de... Patricia Soler... ¡JAJA, qué ocurrencia más loca! Sola en mi habitación me parto de risa solo de imaginármelo:

Profesora: ¡Patricia! ¡Tu camiseta!
Patricia: ¡Eso no es mío!
Profesora: Pues lleva tu nombre, venga, cógela...
Patricia: ¡Que no es mía!
Profesora: ¡No seas vergonzosa! Todos tenemos unas prendas más feas que otras...

Bueno, basta de tonterías. Para dejar de pensar en ideas chifladas me voy a comer un trozo de chocolate. Y después me enfrentaré a la MOCHILA TRAGONA.

De la lista que nos dieron con todo lo que teníamos que llevar (neceser, linterna, etc.) solo había una cosa que llamaba la atención. "Traed un par de trozos de tela larga, no importa el color". ¿Para qué serviría aquello? Espero que NO nos hagan disfrazar de piratas o princesas porque ya tenemos una edad... Bueno, falta muy poco para saberlo... ¡Menos de 24 horas! **¡BIEEEEEEN!**

¡BUA! Con lo contenta que estaba... Antes de cenar me he llevado una decepción mayúscula: le he pedido a Manu si me podía acompañar a hacer mi último entrenamiento y me ha tratado fatal.

Yo: Va, porfa, siempre me acompañas...

Manu: Hoy no, Lía, no puedo, y además no me apetece.

Yo: Es mi último día antes de las olimpiadas, ya no te lo pediré más...

Manu: Que no. Pídeselo a papá, yo qué sé...

Yo: Vengaaaaa... Que contigo he mejorado mucho...

Manu: ¡JOLÍN, LÍA! ¡Búscate a gente de tu edad y déjame en paz!

Me he quedado muy cortada y me he marchado de la habitación sin decir nada más. He esperado triste pensando que tal vez Manu vendría a disculparse, pero no ha venido. Tal vez ha tenido un mal día o se ha peleado con alguien o tiene exámenes... pero vaya, eso no justifica que me haya tratado así, ¿no? Bueno, intentaré olvidarlo. No quiero que me amargue la noche ni las colonias. **GRRRRR.**

Lunes, 9 de junio

No ha hecho falta que sonara el despertador.
El despertador de la casa era yo misma.
He desayunado tan, tan rápido que, al cabo
de media hora, no recordaba si lo había hecho
o solo lo había pensado.

(Por cierto, la última cosa que estoy a punto
de poner en la mochila es algo que conoces muy
bien. **¡TÚ!** Te llevo a las colonias conmigo porque
seguro que me entrarán ganas de escribir cosas.
Cuando nos volvamos a ver ya estaremos ahí,
en plena montaña. ¡Hasta ahora!)

¡Holaaa de nuevo! Escribo ya desde la casa de
colonias, pero primero te cuento nuestra marcha:
Mamá ha querido venir a despedirme al autocar.
Sí o sí. A mí no me hacía mucha gracia porque
temía ser la única de toda la clase con comité de
despedida. Pero mamá ha dicho que era estúpido
no decirme adiós si ella iba a estar igualmente en
el insti porque tenía clase con los de tercero.

Y que tenía todo el derecho (y las ganas) de decirme adiós con la manita desde la calle. Por suerte también habían venido los padres de Felipe y me he sentido bastante menos ridícula.

Al principio del trayecto estábamos muy excitados. Todo el mundo charlaba, contaba chistes, cantaba... Nos hemos descontrolado tanto que los profesores nos han tenido que llamar la atención. Además de nuestra tutora, estos cinco días nos acompañarán Clari —la de

gimnasia—, y un monitor tímido pero simpático
que nos han presentado hoy.

Pasada una hora de trayecto, la excitación ya
no era tan grande. Alguno se había dormido y,
con las curvas de la carretera, algunos se habían
mareado. Una hora y media más tarde, hemos
visto por fin el cartel de una casa de colonias
y todos sin excepción hemos gritado de alegría
porque hemos visto la piscina... Las profes nos
han aguado la fiesta diciendo que no, que esa
no era la nuestra, que la nuestra, relativamente

cercana, no era tan lujosa pero nos gustaría aún más. (Traducción: bonita pero sin piscina.)

Finalmente... LLEGAMOS a Casa Mica, la nuestra. Lo primero que nos ha sorprendido al bajar del autocar ha sido un intenso sonido de agua bajando con prisas... ¡Un río escondido pasaba cerca de la casa! En un rincón alejado del camino, entre las hojas de los arbustos hemos visto destellos de agua turquesa... ¡Qué ganas de correr y bañarse! ¡Y ni siquiera habíamos bajado del autocar!

Cuando han abierto el compartimento del equipaje todos hemos corrido a buscar nuestra mochila. Me ha sorprendido un poco descubrir un roto que no había visto en casa (es la antigua mochila de Manu, está viejita), pero no le he dado importancia. He corrido impaciente hacia el portalón de la casa y entonces he visto que se formaba un corro de gente delante del autocar. En el centro estaba el conductor del autobús mostrando algo, pero el montón de chicos y chicas que se apelotonaban a su alrededor no me permitía ver. ¿Qué era? Me he agachado, he saltado, y al fin... lo he descubierto. Lo que tenía entre las manos era una bonita... ¡tortuga de tierra! ¡Qué monada! ¡Qué suerte! Era muy parecida a Cocodrolo, de la misma especie, diría yo, y supuse que de la misma edad porque hacían el mismo bulto. Me he acercado un poco más para verla de cerca... Era tan parecida a Cocodrolo... ¡Tanto! TAAANTO, TANTÍSIMO que ¡sí! Sin duda... **¡AAAAHHH¡¡ERA COCODROLO!**

Yo: ¡Es mía! ¡Es mi tortuga!

Tutora: ¿Cómo es posible? ¿Cocodrilo?

(Se acordaba de ella porque la traje para el experimento de antes de Navidad.)

Yo: Ah... Cocodrolo... Pues... ah... no sé, no lo entiendo...

Y entonces he cogido la mochila y les he enseñado a todos el agujero.

Yo: Supongo que se coló en la mochila esta mañana... Lo siento mucho... ¿Qué vamos a hacer?

El conductor me ha entregado a Cocodrolo que, asustado, se escondía. Lo he dejado en el suelo y le hemos ofrecido un poquito de agua, que ha bebido la mar de sediento. En ese momento, y casi por arte de magia, ha venido a saludarnos una simpática cabra con un collar en el que ponía "Manuela". No ha tardado nada en compartir con Cocodrolo su bebida. Ya lo dice la abuela: ¡Nada mejor que ir de colonias para hacer amigos!

Cocodrolo compartiría con nosotros los días de colonias. Después de pensar y buscar durante un rato, entre todos hemos decidido que podría quedarse en un antiguo corral, ahora sin gallinas, cercado por una valla de alambre. He pedido que mandaran un mensaje a mis padres (no nos dejan tener móviles) para que no se preocupen y ¡listos! **¡No está mal tener a alguien de la familia en las colonias!**

Pasada la sorpresa, hemos corrido a explorar la casa que nos acogería durante cinco días. Al subir a las habitaciones nos hemos encontrado con una grandísima estancia en la que íbamos a dormir todos juntos. Por un lado me dio pena porque nos habría hecho ilusión dormir a Ana, Choco y a mí en una habitación más pequeña, pero vaya, dormir toda la clase junta, chicos a un lado y chicas al otro, también podía ser divertido. Después de comer, nos han dejado "libres" y nos han repartido el *planning* de los cuatro días de olimpiadas. Algunas pruebas son conocidas y esperadas (lo primero será el baloncesto mañana por la mañana), pero otras son tan raras como la de la mañana del miércoles, que se llama "Velocidad especial" y en la que está expresamente indicado que debíamos llevar las telas de colores. Durante la comida hemos coincidido en que seguro que serían carreras a ciegas, con los ojos vendados. A ver.

Por la noche nos han dejado estar despiertos hasta las once, pero no más. Calculo que con la marcha que llevamos dejaremos de estar despiertos a las once pero estaremos dormidos a la una. **Jaja. ¡Buenas noches!**

Martes, 10 de junio

Cuando esta mañana nos han despertado abriendo las ventanas y poniendo una música agradable, la mayoría de nosotros no teníamos la más mínima idea de dónde estábamos. Yo he necesitado un minuto para situarme. No estaba Rich acariciándome con su pelo suave, no oía los pasos rápidos de la abuela por el pasillo... No. No estaba en casa. He mirado a la litera de al lado y he visto que Choco ya estaba vestida y a punto para ir al baño a lavarse los dientes. Yo me he vestido medio metida en el saco y la he seguido.

Después de desayunar nos hemos encontrado en la cancha de baloncesto. Las chicas hemos insistido en hacer un partido de chicos contra chicas (para probarles que somos tan buenas como ellos) pero a la profesora no le ha parecido bien. Ha señalado a Roberto y a Patricia como capitanes para que escogieran a los jugadores uno por uno y hacer así unos equipos equilibrados. En mi caso, me ha escogido Roberto cuando quedábamos pocos, y así me he unido a él, a Felipe y a Choco, entre otros. En el equipo de Patricia estaban Ana y Fabián. Me hacía gracia jugar contra ellos y nos hemos sonreído deportivamente.

Cuando ha empezado el partido, nuestro equipo no lo hacía nada mal. Lográbamos puntos porque nos pasábamos mucho la pelota. Era divertido y lo ha sido aún más cuando nuestros rivales han conseguido organizarse y han equilibrado el partido. La profesora iba sustituyendo jugadores pero pasaban los minutos y el marcador seguía avanzando como un columpio: ahora ganamos nosotros, ahora empate, ahora ganáis vosotros, ahora nosotros, ahora vosotros, ahora empate...

A pesar de los muchos cambios aún no había coincidido en el campo contra Ana, pero en el minuto quince nos hemos encontrado cara a cara. Ella defendía mientras yo intentaba botar y mirar a quién pasarla. Cuando he mirado la cara de Ana

y la he visto tan supermotivadísima con su cinta
de los Lakers en la cabeza... me ha entrado la risa.
Y me he desconcentrado. Entonces ha llegado
Patricia por detrás y me ha quitado la pelota.
Supongo que no era ilegal (vaya, seguro) pero yo
me he enfadado mucho porque ha sido a traición
aprovechándose de algo tan humano como un
ataque de risa. Lo que más rabia me ha dado ha
sido que después de su canasta (porque encima

ha encestado) Fabián ha chocado las manos con
Patricia y Ana. ¿Alegrarse porque me habían
robado la pelota de esa manera?

¡MUY BONITO!
¡PERO QUE MUY BONITO!

Después, la profe me ha sentado en el banquillo
(yo llevaba 0 puntos), y entre Choco y Roberto
han logrado alguna jugada buena y hemos
podido empatar. Solo quedaba un minuto y
estábamos 33 a 33. La profesora ha hecho
algunos cambios en los equipos y me ha sacado
para las últimas jugadas junto a Roberto, Choco
y Felipe. La tensión era máxima. Ellos tenían
la pelota y nuestra defensa era feroz. Tanto,
que le han pitado falta a Felipe y Patricia debía
tirar dos tiros de personal. El primer tiro... lo
ha fallado. ¡Bien! Pero el segundo... ha entrado.
Ganaban de uno. La pelota era nuestra y
quedaba menos de medio minuto. Ellos también
defendían a muerte mientras la profe les decía
que intentaran no hacer falta. Al final, Choco,
como ha visto que nadie me marcaba a mí porque

estaban todos cubriendo a Roberto y a Felipe, me ha pasado la pelota para hacer el tiro final. Yo, te lo juro, he intentado concentrarme al máximo y hacerlo lo mejor posible pero, aunque la pelota ha tocado madera y aro, ha acabado cayendo fuera y ya no ha habido tiempo para más. Hemos perdido por un punto.

Mientras el equipo contrario saltaba de alegría, he visto como Roberto y Felipe se acercaban a Choco y a mí. Esperaba una palmada en la espalda, unas bonitas palabras de consuelo como "No pasa nada, somos un equipo", PERO NO. Lo que han hecho sin piedad (sobre todo Roberto, que es quien ha hablado) ha sido machacarnos con una bronca descomunal:

Roberto a Choco: ¿¡Pero por qué se la pasas a tu amiguita si no ha metido ni una!?

Choco: ¡A ti te estaban marcando y ella estaba sola!

Roberto: ¡¿Y por qué crees que estaba sola?! ¿Eh? ¡Porque no las mete!

No me podía creer que Roberto estuviera
hablándonos así y me he defendido como
he podido:

Yo: ¡Pero tío! ¡Claro que no las meto!
          ¡Si no la pasáis nunca! ¿De qué vas?
Roberto: ¡Vaya con las amiguitas!

Y los dos se han ido enfadados dejándonos
con la palabra en la boca.

En el otro lado del campo Fabián seguía

abrazándose con Patricia y Ana, cosa que no ha ayudado a endulzar el momento. Y cuando he pasado por delante, Fabián me ha soltado la bromita:

Fabián: ¡Algunas veces se gana y otras veces se pierde!

No me lo podía creer. Pero... pero... ¿De qué iban? Si ganan es mérito suyo y si no... ¿todo es culpa nuestra?

Choco: No lo pueden evitar, son cortitos...
Yo: Pues paso de ellos.

Sí, definitivamente, Roberto y Fabián no son lo que parecían. ¡Solo les interesa ganar y no respetan a los que no jugamos tan bien como ellos! Me lo podía esperar de Felipe, pero... ¿de los otros dos? Ha aflorado su verdadera personalidad y dimito de mi amistad con ellos.

La de gimnasia, Clari, ha visto cómo nos enfadábamos y ha venido a hablar con nosotras. Ha llamado también a Roberto y a Felipe. Nos ha preguntado si nos pasaba algo y, después de negarlo, ha conseguido sacarnos un poco de información. (Choco no ha abierto apenas la boca, más tímida de lo habitual.) Le he contado que estaba enfadada con los chicos, porque son unos inmaduros.

Roberto: ¡Es que se toman las cosas demasiado a la tremenda!

Clari: ¿Quiénes?

Roberto: Ellas, las chicas.

Yo: ¡No! Sois vosotros, que me machacáis injustamente por haber fallado!

Roberto: ¡Es que la has fallado! ¿¡No nos podemos quejar!?

Yo: ¡Nooo! Si somos un equipo nos respetamos lo bueno y lo malo! Solidaridad, se llama.

Roberto: ¡Jo, es que, no somos máquinas! Tú me habrías gritado igual si hubiese fallado.

Yo: ¡Mentira!

Felipe: ¿Cómo lo sabes?

Yo: ¡Porque lo sé! Porque (menos Patricia Soler) las chicas no hacemos eso.

Clari: ¿De verdad creéis que todo esto tiene que ver con ser chico o chica?

Yo: Claro que sí.

Roberto: ¡Sí!

Clari: Pues yo solo veo un equipo que ha ganado y otro que ha perdido. Y los que habéis perdido os estáis haciendo daño los unos a los otros buscando culpables... y eso sí que es infantil... Y lo sois todos. Los unos y las otras.

201

Al final nos hemos dado la mano en señal de paz. Yo solo lo he hecho para que la profe nos dejara tranquilos, ya que no estoy en absoluto de acuerdo con ella. Cuando nos dábamos la mano, Patricia Soler lo ha visto y ha soltado uno de sus comentarios:

Patricia: Así, como los buenos chicos. Muy bien.
Yo: ¿Tú eres tonta o qué te pasa?
Patricia: ¿Cómo? (A Clari) Me ha llamado tonta...
Clari: Estupendas las dos. Me dejáis sin palabras.

Y nos ha dejado a las dos sin poder participar en el salto de longitud ni en el tiro con arco. Ole. Choco se ha salvado. Cuando ha vuelto de las pruebas le he preguntado si le pasaba algo.

Yo: Estabas muy seria cuando hablábamos con Roberto y Felipe...
Choco: Ya.
Yo: No entiendo cómo no te has quejado de todo lo que decían. Ellos y Clari.
Choco: No sé. No sabía qué decir. Además, hablar con Clari a veces me da vergüenza.

Nos hemos quedado calladas, pensativas. Es verdad que Choco se corta a veces cuando está Clari delante. La admira tantísimo que creo que de mayor quiere ser como ella.

Como Ana había visto que Choco y yo estábamos un poco serias, ha venido con una sugerencia: que pensáramos algo divertido para hacer esa noche después de cenar. Algo que nos hiciera reír un poco. A nosotras y a toda la clase, a poder ser. Y tenía razón. Todo el mundo cuenta sus anécdotas de las colonias... (hasta papá y mamá las tienen) y nosotras aún

no teníamos la nuestra. Queríamos hacer algo chulo, pero no sabíamos qué... Y mirando por la ventana, ¡se me ha ocurrido! He pensado que podía ser divertido hacer entrar a la pequeña cabra Manuela en la casa y que nos diera a todos una sorpresa saliendo de algún lugar inesperado. Imaginar la cara de Felipe o Alba Marina viéndola salir del baño, bien se merecía un esfuerzo... ☺

Por la noche, después de cenar, Ana, Choco y yo hemos salido una a una, y en intervalos de un minuto, hacia el lavabo (para no llamar la atención). Una vez juntas en el baño, hemos bajado hasta la planta principal tratando de evitar que nos pillaran los profes, que charlaban animadamente en su habitación.

Sabíamos que a las cabras les pirran las hojas verdes, pero también los plátanos y las patatas, así que hemos ido a la cocina a recoger un poco de cebo para la trampa.

Y tal como manda cualquier buen manual de gamberrismo, hemos puesto hierba y trozos de patata y plátano desde la puerta principal hasta la escalera, atravesando todo el comedor. Una vez en la puerta de la casa hemos tenido que tomar una decisión importante: decidir si nos atrevíamos (y si era correcto) salir. Choco había visto dónde había guardado la llave la tutora, así que al final hemos votado que sí. Pero a sabiendas de que solo lo hacíamos para llamar a la cabra. Hemos cogido las linternas y hemos salido.

Invencibles: ¡Cabritaaa! ¡Eooo! ¡Manuela!

Pero NI RASTRO. Solo se oían los grillos y el viento entre los árboles. Manuela no estaba. He aprovechado para mirar el corral y he visto a Cocodrolo durmiendo debajo de una madera mal apoyada. Para nosotras era también hora de irse a dormir porque hoy, como la Cenicienta, a las 12 nos vendrían a apagar las luces y a pedir silencio. Hemos dejado restos de comida por el suelo haciendo un camino hacia la casa y hemos entrado de nuevo.

Yo: ¿Dejamos la puerta entreabierta?
Ana: ¿Tú crees? Podría entrar cualquiera...
         A robar, por ejemplo.
Yo: ¿Quién va a venir a robar a una casa de
         colonias que está en medio de la nada?
Choco: A mí me da igual. No creo que venga
         nadie. ¿La dejamos así medio entornada?

Y así la hemos dejado. Y nuestra Anécdota Invencible ha quedado en nada. Unas veces se gana y otras se pierde. Al pasar junto a la habitación de los profesores hemos visto que solo quedaba una luz medio abierta, pero ya no se escuchaban las voces. Entramos en nuestra habitación y aunque algún grupo estaba hablando, había mucha gente dormida por el cansancio de un día agotador.

Las Invencibles nos hemos metido en la cama con la esperanza de que Manuela entrara en la habitación detrás de nosotras... Pero no lo ha hecho. Yo he escrito esto y ahora me dispongo a dormir porque no puedo más. Buenas noches a mí misma...

Miércoles, 11 de junio

Hoy al despertarme me ha parecido que estaba en casa. El olor de mi pijama, la suave luz entrando por la ventana y los pelos de Rich acariciándome la cara...

¡EH! ¡UN MOMENTO! NO. Yo no estaba en mi casa. ¡Estaba de colonias! Y si estaba de colonias... ¿De quién eran los pelos que se estaban paseando por mi oreja? **¡AAAHHH!**

Me he puesto la mano en la mejilla y he notado un hilillo de saliva gelatinosa. He abierto los ojos...
¡LA CABRA MANUELA ESTABA DELANTE DE MÍ!

¡Menudo susto me he pegado! Aunque estaba medio dormida me he echado para atrás de un brinco mientras la cabra se lanzaba a lamer mis manos, que aún tenían saborcillo a plátano. Oía a la gente asombrada, riendo, algunos quejándose asustados y he pensado ¡Las Invencibles hemos

logrado nuestro propósito! Jaja. ¡Esto **SÍ QUE ES VIVIR LA NATURALEZA!**

Entonces a quien he oído ha sido a las profesoras:

Profesoras: ¡Ea! Todos fuera venga, venga.
                         No os asustéis. No os harán daño...
¿¿¿??? ¿Había oído bien? "¿No **OS HARÁN** daño?" Yo tenía a Manuela delante y no veía nada más pero he sacado la cabeza por debajo de sus patas y entonces me he dado cuenta... ¡Manuela no había sido la única que había entrado por la noche! **¡HABÍA TRAÍDO CONSIGO**

A SU EXTENSÍSIMA FAMILIA DE MÁS DE TREINTA CABRAS!

Las teníamos ahí... Unas subidas en las literas, las otras buscando comida debajo de las camas, las otras repanchingadas encima de las mochilas... El suelo de la habitación era un asco, las cabras habían estado con nosotros toda la noche y habían dejado de regalo centenares de bolitas de caca por tooooodo el suelo, por las camas y en su lugar favorito... dentro de nuestras zapatillas... **¡Puaj!** Los chicos han venido

corriendo a ver qué pasaba en nuestras literas.
La cara de algunos y algunas era un poema. Un
poema malo y asqueroso. Las Invencibles... **¡LA
HABÍAMOS LIADO PARDA! ¡Nos habíamos
pasado tres pueblos!**

Patricia: ¡Ahhh! ¡Una cabra se está comiendo
mi pasta de dientes!

Tutora: Apártala, pobrecita, ¡que podría
sentarle mal!

Patricia: ¡Pobrecita yo!

Clari: ¡Chhhst! ¡No las asustéis! Vete a saber

cómo y por qué han subido aquí...
Venga, todos fuera...

Aquí Ana, Choco y yo nos hemos mirado
serias y hemos decidido confesar. Pero ni las
profes ni el monitor atendían, porque estaban
concentrados echando a los animales para afuera.
Sin saber muy bien qué hacer, nos hemos puesto
a ayudar.

Tutora: Chicas, ¿qué hacéis? Por favor, hemos
dicho que todo el mundo abajo.

Yo: Es que queremos ayudar...

Clari: Pues ahora no es el momento. ¡Ale, ale,
cabra!

Ana: Es que DEBERÍAMOS ayudar...

Tutora: ¿Cómo? ¿Por qué?

Choco: Las cabras no han subido solas...

Ana: Bueno, técnicamente sí, pero alguien
las ha animado a subir...

Tutora: No me lo puedo creer... ¡¿Habéis sido
vosotras?!

Yo: Bueno... Nosotras solo hemos invitado
a Manuela... Pero ha hecho correr
la voz...

Al cabo de una hora habíamos logrado que las cabras volvieran a su hábitat natural.

Ahora solo quedaban... los restos del desastre. Y, naturalmente, nos ha tocado a nosotras limpiarlos. Había caquitas por todos los rincones... Y después de quitarlas... tocaba fregar.

¡Pffffffffffffffff! ¿No querías anécdota? Pues como dice la abuela... **¡Toma TRES TAZAS!** Después de nuestra gran **BROMA EQUIVOCADA** nos han citado a todos en el llano, equipados para esa extraña prueba llamada "velocidad especial" y para la que pedían los trozos de tela. ¿Se acercaba el momento de la carrera a ciegas?

Al bajar todos al campo, Clari ha explicado que la prueba consistía en una carrera de velocidad. Desde donde ella se encontraba hasta la pista de baloncesto. Ir y volver.

Felipe: Pero si no vemos nada, ¿cómo sabremos que hemos llegado a la pista de baloncesto?

Clari: ¿Quién te ha dicho que no vas a ver nada?

Ah. Ok. Carreras de velocidad con los ojos destapados. Guay. ¿Qué tenía eso de especial?

Pero entonces Clari se ha puesto a cambiarnos a todos de lugar. A mí me ha separado de Choco y Ana y me ha colocado junto a Patricia. **Glups.**

Clari: Muy bien, pues ahora mirad a la persona que tenéis a vuestro lado. Con las telas que traéis, ataros una pierna, desde los muslos hasta el tobillo. Cuanto más apretado lo tengáis, mejor correréis.

Un momento... ¿estaba diciendo que tenía que echar una carrera con Patricia atada a mi pierna? **BUFFFF.** Qué jugada maestra de Clari. Estupendo. Gracias.

Patricia y yo nos hemos atado sin hablar siquiera. Ha pasado el monitor a comprobar que lo habíamos hecho bien, se ha echado a un lado, y entonces Clari ha hecho sonar el silbato **¡PIIIIIIIIP!**

Por pura casualidad Patricia y yo hemos echado
a correr con la pierna adecuada, y como las
dos teníamos muchas ganas de ganar hemos
avanzado bastante deprisa en nuestro camino
hacia la pista de baloncesto. Un par de parejas
estaban bastante adelantadas, pero también se
oían caídas, risas y gritos... El monitor nos hacía
fotos y el polvo nos entraba en los ojos. A pesar
de todo esto, Patricia y yo íbamos avanzando
a buen ritmo.

Estábamos, seguro, entre las tres primeras parejas, pero al llegar al punto en el que teníamos que dar la vuelta, yo he intentado girar hacia la izquierda y Patricia lo ha intentado hacia la derecha. Eso ha hecho que nos diéramos automáticamente un gran tortazo contra el suelo.

Intentar levantarse cuando se está amarrado a un ser que hace lo que le parece sin consultar, no es fácil. En el suelo, Patricia y yo hemos empezado a gritarnos, que si por aquí, que si por allá... Y al ver que no nos entendíamos, intentábamos de nuevo levantarnos cada una a su manera, provocando una nueva y aún más aparatosa caída. Cuando estábamos en el tercer intento hemos oído los primeros gritos de victoria: las primeras parejas empezaban a llegar a la meta, entre ellas, Ana y Fabián. Entonces sí, aunque enfadadas y serias nos hemos puesto de acuerdo, nos hemos levantado lentamente y, sabiendo ya que íbamos a quedar las últimas, hemos llegado medio andando a la meta.

Clari: Bueno, bueno... Esta ha sido solo la primera
         carrera... Ha sido un poco desastrosa para

la mayoría, no lo negaréis... Os propongo cinco minutos para que habléis con vuestra pareja y después... ¡La carrera final de "velocidad especial"!

Patricia y yo estábamos en el suelo, cansadas. Y con muy pocas ganas de hablar. Pero me he imaginado lo que Clari iba a pensar si no lográbamos ponernos de acuerdo y he abierto la boca:

Yo: No debería de ser tan difícil...

Patricia: Ya. A mí no me apetece para nada quedar la última otra vez.

YO: Ni a mí.

Patricia: Así qué... ¿Hacemos algo?

Y nos hemos puesto de pie. Y hemos pactado la pierna con la que íbamos a empezar, qué nos íbamos a decir si queríamos ir más deprisa o más lentamente y, sobre todo, cómo daríamos la vuelta en la zona de la pista.

Esta vez la carrera ha ido mucho mejor, no solo para nosotras. Todos íbamos bastante a la vez. A media carrera le he dicho a Patricia que aflojara un poco el ritmo y me ha hecho caso, hemos girado a la izquierda sin caernos y finalmente hemos quedado entre las cinco primeras. El esfuerzo y la buena carrera que hemos hecho nos ha hecho sonreír. Nos hemos mirado sin decir nada y al final le he ofrecido mi mano.

YO: ¿Me das la mano como las buenas
        chicas?

Y me la ha apretado con orgullo.

Patricia: No está mal, Abellán.

YO: No has estado mal, Soler.

A Patricia le gusta hacer las cosas bien, como a mí. Sacar buenas notas, hacer bien las carreras, caer bien a los profes. Pero muchas veces no sabe controlar su mala leche.

Yo: ¿Tú me tienes un poco de manía, no?

Patricia: Bueno, a veces. Cuando te pones muy friki, por ejemplo.

Yo: Pues olvídate un poco de mí. Que yo no te he hecho nada.

Patricia: ¿Y con quién me meto entonces?

Yo: Con nadie.

Patricia: Jaja. Qué aburrido.

Yo: Mi padre dice que si te divierte hacer
        daño es que no eres feliz.

Patricia: Jaja, tu padre debe de ser un repelente
        como tú.

He visto que de lejos, Clari y nuestra tutora
nos miraban contentas por la reconciliación. He
desviado la mirada con vergüenza y he buscado
a mis amigas. Choco se estaba desatando de Alba
Marina y Ana... ¡ni se ha dado cuenta de que me
había tocado con Patricia! Ella y Fabián habían
ganado la primera carrera y casi la segunda.
Estaban eufóricos. Para ellos sí que parecía
haber sido una verdadera prueba "especial".
Y verlo tan claramente me provocó un triste
chispazo de celos. ¿Celos por Ana? ¿Celos por
Fabián? Quita, quita. Sería muchísimo mejor

disfrutar del chapuzón en el río que la tutora nos estaba proponiendo.

Y hacia allí nos dirigimos. A un lado de la casa, pasados los primeros árboles y arbustos, bajaba un camino, y al final, después de caminar un pequeño trecho, se llegaba a una especie de playa de arena blanca que daba acceso a un río de aguas transparentes y de un color turquesa que yo nunca había visto. Nos contaron que ese color tan exótico, más propio de playas caribeñas, era debido a las piedras blancas, llenas de cal, que formaban su lecho.

Aunque el agua estaba heladísima, todos hemos acabado bañándonos y hasta nadando un poco en una zona de pozas muy bonita. Tristemente, la transparencia del agua ha durado poco. Con treinta y dos locos y locas jugando se ha removido rápidamente el lodo del fondo. Un fondo tan blando y fino que tocarlo era como poner la mano en un tarro de mantequilla templada.

La maestra, al darse cuenta, nos ha retado

a hacernos una máscara corporal de arcilla blanca.
Nos ha dicho que era muy bueno para la piel
y ha empezado a pintarse la cara, los brazos y
las piernas haciéndose dibujos. A algunos les daba
un poco de asco porque aquel lodo no olía muy
bien, pero, poco a poco, todos nos hemos ido
untando hasta quedar del todo blancos... Clari ha
dicho entonces que esperáramos al sol a que el

barro se secara del todo. Blancos y expuestos parecíamos un grupo de esculturas que se iban agrietando. De golpe he tenido un ataque de sed, y eso me ha hecho pensar en Cocodrolo. No le había renovado el agua ni la comida, y con el calor que hacía, ¡era una tarea urgente! Me he levantado y me he acercado al corral. Cuando Cocodrolo me ha visto, en lugar de acercarse a morderme cariñosamente el pie, se ha puesto en modo lucha.

Yo: Que soy yo, tontorrón, ¿no me reconoces?

Pero nada, Cocodrolo seguía con la boca muy abierta, lanzando bufidos... Le he dejado mucha hierba fresca, abundante agua y me he ido pensando que tendré que comprarle unas gafas. Al volver al río, ya no había nadie. Habían regresado a casa. Yo tenía arcilla por todo el cuerpo, así que tendría que lanzarme al agua para limpiarme. Toda la poza para mí, otra vez transparente, con sus piedras blancas y los peces juguetones al fondo... Una auténtica maravilla de la naturaleza **SOLO PARA MÍ.**

Me he quitado la arcilla del cuerpo y finalmente me he relajado en el agua haciendo el muerto, disfrutando del calorcito del sol en la cara... Hasta que Clari ha llegado y me ha pegado un grito:

Clari: ¿¡Se puede saber qué haces!?

Yo: ¡Ay!

Clari: Venga para adentro, ¡ya está todo el mundo vistiéndose!

Yo: Es que he ido a dar de comer a Cocodrolo y necesitaba limpiarme...

Clari: Curiosa manera de limpiarte, haciendo el
         muerto... Que tengas a tu tortuga aquí no
         significa que puedas hacer lo que te da la
         gana. Venga, vete para adentro.

La he seguido, chorreando y un poco dolida.
Es verdad que me he entretenido ~~mucho~~ pero...
Estamos un poco de vacaciones, ¿no? ¿Tenía
que ser tan dura? En el comedor he evitado
comentarlo con las Invencibles porque ya sabía
que Choco iba a ponerse de su lado, y no quería
enfadarme con ella. Además, hoy tocaba el JUEGO
DE NOCHE, estaban todos muy excitados y
no quería cortarles el rollo... Me he tragado el
orgullo y he pensado que mi baño tranquilo lo iba
a recordar toda la vida. La bronca de Clari, no.

Al llegar la noche, las profes nos han pedido que
nos abrigáramos un poco, que cogiéramos las
linternas y nos han citado en la última gran piedra
antes del camino hacia el bosque.

Felipe: ¿En serio nos vais a dejar sin cenar?
Tutora: Es que en eso consiste el juego...

El objetivo es una gran cena de lujo
en medio del bosque. Tenéis que
encontrarla. Hasta entonces solo podréis
tomar agua y una bolsa de frutos secos,
que es lo que llevaréis encima.

Las reglas del juego eran claras: había un mapa en
el que se indicaba dónde se haría la cena secreta.
Pero el mapa estaba dividido en tres partes y cada
adulto tenía una. Los tres se esconderían por el
bosque, por el campo o por la casa. Y tendríamos
que encontrarlos. Cuanto antes se montara el
mapa entero, antes cenaríamos.

Tutora: El límite por donde podéis buscar
          es el pequeño muro que rodea todo
          el bosque. Y vigilad porque de noche
          los profesores somos un poco brujos...
          Ahora nos marcharemos, y cuando
          suene la alarma de este reloj, podéis
          empezar la expedición.

Dicho esto, se han marchado. Y nosotros hemos
empezado a discutir cómo íbamos a organizarnos.

Creíamos que los profes iban a separarse, así que decidimos que nosotros debíamos hacer lo mismo... Pero sin ir cada uno por su lado, para no confundirnos con ellos.

Veíamos a los tres adultos alejarse con sus linternas por el bosque. Era una sensación rara verlos desaparecer. Nos quedábamos solos.

Decidimos hacer cuatro grupos. Y otra vez yo estaría con Choco y Roberto (y Alba Marina y algunos más), y Ana y Fabián estarían en otro. Cuando hemos vuelto a mirar hacia el bosque ya no había ni rastro de ninguna linterna de los profes. El bosque no era bosque, era solo un agujero negro que olía a hierba y a peligro.

Y HA SONADO EL RELOJ.
¡Todos a correr!

Cada grupo ha tomado un camino distinto. En el nuestro guiaba Felipe, que ha optado por un sendero bastante empinado que hemos emprendido al trote. Por entre los árboles veíamos las luces de las linternas de los demás grupos mientras se alejaban. Al cabo de pocos minutos ya no se veía nada. Más solos aún. Choco iba delante y yo iba con Roberto (no es que fuéramos al mismo ritmo. Es que él se esperaba para ir conmigo). De pronto, jadeando por el cansancio, ha hablado como hacía tiempo que no lo hacía:

Roberto: Lo siento si te molesté en el partido
de baloncesto, es que me vuelvo
un poco majara cuando pierdo.
Yo: Pues háztelo mirar, porque cansa.
Roberto: Es de los pocos defectos que tengo.
(Aquí me ha hecho reír.)
Yo: Qué morro tienes...
Roberto: ¿Me perdonas?

No le he dicho que sí pero creo que con mi sonrisa ha quedado claro lo que pensaba. Entonces me ha cogido de la mano y hemos avanzado un rato hasta que nos ha sorprendido un grito.

Alba Marina: ¡Andan cogidos de la mano!
Nos hemos separado, muy deprisa.
Yo: ¡No es verdad!
Alba Marina: Jaja, ¡lo he visto!
Choco: ¿Y qué pasa?
Alba Marina: ¿Sois novios?

Aunque era de noche y solo nos iluminaban la luna y la luz rebotada de las linternas me ha parecido que Roberto se ponía colorado.

Roberto: Si a alguien le cuesta subir, le ayudo.
             A ti también te cogería de la mano...

Y así, Alba Marina se ha callado. Al darse la vuelta,
Roberto me ha enseñado una mano que tenía
detrás de la espalda con los dedos cruzados. ☺

Los dedos que nos protegen de las propias
mentiras. Me encanta. Cruzo los dedos. Creo
que me gusta Roberto.

Habían pasado más de diez minutos y ni rastro
de ninguna luz distinta a las nuestras. Aunque...
una de ellas... ¡uy! Una se movía raro... ¡No! Eso no
era una luz de una casa... esta se movía entre los
árboles, lejos de nosotros.

Choco: ¡Ahí hay uno! ¡Vamos!

Y hemos echado a correr. Y al hacerlo hemos
visto que no era una sola luz, eran dos. Por la
velocidad con que corrían hemos supuesto
que nos habían visto. Lo hacían cada vez más
deprisa y seguirlos no era fácil. Al cabo de un

rato de correr intentando no caernos, nos
hemos encontrado con el pequeño muro que no
debíamos cruzar. Aunque... La sorpresa ha sido
mayúscula cuando hemos visto que las luces,
no corrían por dentro... ¡corrían por FUERA del
muro!

Felipe: ¡Uala!, qué morro... ¿Qué hacemos?
Yo: Han dicho que no podíamos cruzar.
Choco: Nos están poniendo a prueba.
Felipe: Si cruzamos, ¡bronca y sin cenar!
Roberto: Y si no cruzamos: ¡Sin cenar, por
              cobardes!

Yo: Están fuera, ¿no? Pues vamos fuera.
         Son los profes, ellos sabrán lo que
         hacen... Tal vez por eso han dicho
         que son un poco brujos...
Choco: Venga. ¡Se están alejando!

El grupo de los valientes hemos saltado el
muro y hemos visto a lo lejos las luces de los
perseguidos. Hemos vuelto a correr otra vez.
Y ellos huían, aunque cada vez los teníamos más
cerca. De golpe, flup, sus luces han desaparecido
y todos nos hemos dispersado por distintos sitios
intentando volver a encontrar el rastro.

Yo he subido un pequeño repecho pero, justo
en el momento de llegar arriba, he tropezado,
he puesto el otro pie mal entre dos piedras y al
intentar avanzar he escuchado un **¡CRACK!** y un
dolor muy fuerte se ha apoderado de mi tobillo
derecho. **¡Aaaahhh!** Era el dolor más fuerte
que había sentido en mi vida.

Mis compañeros se han ido acercando, y si ya
estaba asustada, al ver la cara que han puesto

al verme, aún lo he estado más. Estábamos en medio del bosque, fuera del muro de nuestra casa. Sin móviles y con unas linternas que perdían luminosidad a cada minuto que pasaba.

De golpe, no una, ni tres... diez linternas dispuestas en círculo a nuestro alrededor se han encendido de golpe cegándonos a todos. ¿Qué estaba pasando? ¿Hola? ¿Eran los profesores? ¿diez? ¿Los profes y nuestros compañeros que nos gastaban una broma?

Yo: No os vemos la cara. ¿Quiénes sois? ¿Sois las profes?

Choco: ¿Ana? ¿Fabián? ¿Patricia? No hace ninguna gracia...

Quien fuera que nos estaba iluminando era un bromista de mal gusto o algo peor. Y uno de ellos empezó a hablar:

Una voz: ¿Por qué nos seguís? ¿Qué hacéis aquí?

Yo: Me parece que me he roto algo. No hace gracia. ¡Por favor!

Finalmente, se han iluminado la cara y nuestra perplejidad ha sido máxima porque quienes nos rodeaban... **¡ERAN DESCONOCIDOS!**

Ellos: Estamos de colonias y esta es nuestra casa. Estamos haciendo un juego de noche. ¿Y vosotros? ¿Qué queréis?

Hemos mirado a nuestro alrededor y hemos
reconocido la piscina que vimos el primer día,
al llegar. Ahora lo entendíamos todo. Nos
habíamos metido en el juego de noche de
la gente de OTRO INSTITUTO que también
estaba de colonias.

Yo: Os hemos confundido con un grupo
        al que debíamos seguir.
Ellos: Pero... ¿De dónde venís?

Buena pregunta. ¡Muy buena pregunta! He mirado
para atrás, hacia el camino que se adentraba
en el bosque y que debía llevarnos de vuelta...
de vuelta a nuestra casa. A nuestra cena. Y he
señalado hacia el bosque.

Yo: De allí. Y mejor que nos marchemos
        porque no deberíamos estar aquí.

Entre Choco y Roberto me han levantado
y al intentar poner el pie en el suelo he visto
más estrellas de las que había en el cielo.

Yo: ¡Ay! No puedo.

Los del otro instituto se han ofrecido a llamar a sus profesores, pero han confesado que tampoco sabían dónde estaban. Algunos insistían en que me quedara, pero he preferido dar marcha atrás. El pie no estaba roto porque podía moverlo y apoyarlo un poco y, sobre todo, prefería no quedarme con desconocidos.

Así pues, nos hemos despedido de los compañeros del otro instituto y hemos mirado hacia el monte. El regreso no sería tan fácil como la ida. Por mi tobillo y también porque no nos habíamos fijado en el camino de vuelta. No habíamos dejado ni migas de pan ni trozos de plátano ni nada parecido. Podíamos intentar regresar por la carretera, pero recordábamos que la distancia por ahí era cuatro veces la que habíamos recorrido por la montaña.

Felipe: Somos tontos. Tengo hambre y ya no quedan frutos secos. Les podíamos haber pedido algo de comer.

Roberto: Tenemos que encontrar el muro. Cuando lo encontremos solo tendremos que seguirlo.

Cuando estábamos sudando la gota gorda,
yo colgando de Choco y Roberto, hemos visto
a Manuela... Hemos intentado que la cabra me
llevara en su lomo, pero no le ha dado la gana.
Yo veía a mis compañeros cansados y me sentía
culpable.

YO: Manuela, guapa, llévanos de vuelta
           a la casa, por favor.
Manuela: Beeee...

Yo: Si queréis me quedo aquí y vais
         a buscar ayuda.
Felipe: Sí, y que se te coma un oso...
         Venga, tira...

Era más fácil ir saltando con un pie apoyada
en alguno de ellos, que no que me llevaran en
volandas. Así hemos emprendido la marcha
con más ánimos.

Todos: ¡EOOOOO! ¡Estamos aquí! ¡Y tenemos
         un problema!

Hemos callado para escuchar y solo hemos oído
un búho y el concierto nocturno de los grillos.
Entonces Choco ha gritado: **¡¡EL MURO!!**

Teníamos un trozo medio caído delante de
nosotros. Lo hemos saltado como hemos podido
y hemos empezado a seguirlo por el interior.
Finalmente hemos visto, muy a lo lejos, las luces
encendidas de nuestra casa y unos tenues hilos
de luz entre los troncos. Efectivamente, al
avanzar un poco, dos siluetas con sus linternas

han venido a encontrarse con nosotros. Una era Ana, que nos ha abrazado a Choco y a mí, casi con lágrimas en los ojos.

Ana: ¿¡De dónde salís!? ¡Os hemos buscado por todas partes!

La otra silueta era la de nuestra tutora, que, vestida de bruja, nos miraba satisfecha pero con la dureza de la reprobación en sus ojos.

Tutora: ¿Se puede saber dónde habéis estado?
         ¿Habéis ido más allá del muro?

Yo: Pensábamos que os habíais colado
         fuera...

Tutora: ¡Pero si eso es lo único que os hemos
         prohibido expresamente!

Felipe: Tenemos mucha hambre.

En medio de la discusión he apoyado sin querer el pie en el suelo y he visto las constelaciones de la Osa Mayor, Orión y Andrómeda dentro de mi cabeza. ¡Aaah! Ana, la tutora y otros que habían ido llegando me han mirado asustados.

Tutora: ¿Qué ha pasado?

Y se lo hemos contado. Todo. Lo mío y lo de las otras colonias. Y entonces han decidido que antes de ir al médico teníamos que comer. Hemos seguido a la profe (a mí me han llevado) hasta una especie de cueva que se abría en un lado de la montaña. Un antiguo refugio de la guerra. Dentro había montado un auténtico festival. Una mesa larguísima iluminada por tiras de bombillas blancas y de colores. **¡Y COMIDA!** Pan con tomate, embutidos, queso, tortillas de patatas, salchichas frías... Y una macedonia buenísima que me ha quitado todos los dolores.

A pesar de eso, la tutora (ya sin el vestido de bruja) me ha acompañado a las urgencias del pueblo. Me han hecho una radiografía y han dicho que tengo un esguince en el tobillo y que debo llevarlo inmovilizado y sin apoyarlo en el suelo durante tres semanas.

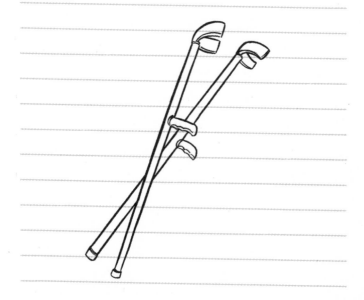

Nunca en mi vida me he roto nada y en el fondo siempre había mirado a los que llevaban muletas con una ligera envidia... una especie de "qué chulas son, yo también quiero"... ¿Ah sí? Pues **¡TOMA DIEZ TAZAS! Muletas y ¡FINAL DE LAS COLONIAS OLÍMPICAS!**

i¿Quién me iba a decir que a final de curso me iba a molestar no participar en la prueba de resistencia?! ¡Si yo era un cero al cuadrado! ¡La última de las últimas! Pero con lo mucho que he entrenado (la excursión en bici, las mil noches corriendo con Manu...) no poder correr **¡ME DA MUCHA RABIA!**

Al contárselo a Clari me ha dicho que no me preocupe, que sabe el esfuerzo que he hecho por mejorar y que si lo que me intranquiliza es la nota de la asignatura, este esfuerzo va a contar tanto o más que la prueba que no podré hacer.

Es la hora de irme a dormir, y el silencio es total en la habitación porque están todos durmiendo y .... Uy no, alguien se acerca.

Ya vuelvo a estar aquí. Ha venido a verme Fabián, que seguía despierto. Me ha preguntado qué tal estoy. Y, atención, tal como hizo Roberto durante la excursión (¿es que se lo hablan?), me ha pedido disculpas por lo que pasó en el partido de baloncesto. Como hice con Roberto, le he perdonado, aunque hay momentos en que pienso que algunas personas actúan de una forma cuando están con gente y de otra cuando estamos solos. Y eso no me gusta nada.

Después le he hecho una pregunta:

Yo: Tú ya eres casi un Invencible, ¿eh?

Fabián: ¿Un qué?

Me he dado cuenta de que Ana no se lo ha contado. Por muy amigos que sean, no le ha dicho que entre nosotras nos apodamos así. Ha seguido guardando el secreto. Me he ido a dormir más Invencible que nunca. Intentando enterrar mis mini celos debajo de la apretada venda que tengo en el pie.

Jueves, 12 de junio

Por la mañana me ha costado mucho levantarme.
Sentía sueño, dolor y una patosidad extrema
en el tobillo lesionado. Por suerte las Invencibles
se atreven con lo que les echen, ya sea montar
una invasión de cabras o ayudarle a una a salir
de la cama...

Hoy tocaba la prueba de salto de altura y ha sido
divertido porque, de alguna forma, he podido
participar. Sentada en una silla, ayudaba a fijar
la cuerda que debían saltar mis compañeros,
cada vez más alta. Confieso que en el caso de
Ana y Choco he evitado en un par de ocasiones
que la cuerda cayera... Ups... No han ganado
ellas (esto sería Trampa Mayor) pero se han
mantenido "vivas" en la prueba más rato...
¡Coja, pero siempre Invencible!

Más tarde, he visto como todos se divertían de
lo lindo jugando al "pañuelo", a carreras de sacos,
bañándose en el río... Se reían tanto y se les veía

tan felices que me ha pasado algo feo que no he podido evitar: cuanto más se reían ellos, menos me reía yo. Al final he sentido la necesidad de irme con Cocodrolo un rato, hablar con él, darle comida y subir aquí a la habitación a descansar, escribirte y... no sé... Me da un poco de rabia estar así. Me gustaría ser una de ellos y no puedo, y me duele la pierna y bueno, nada. Te dejo porque oigo a alguien subiendo.

Ha venido Clari. Me ha dicho que no le parece mal que esté aquí arriba pero que no abuse. Que si tengo ganas de marcharme a mi casa tengo derecho a que vengan a buscarme, pero que ella cree que estaría bien aguantar estos dos días que quedan. Me ha animado a bajar en un ratito y le he dicho que lo haría. Antes de irse me ha dejado un móvil para volver a llamar a casa (ayer ya lo hice desde el centro de salud).

Mamá: ¡Hola amor! ¿Cómo estás? ¿Cómo te encuentras?
Yo: Bueno, bien. Me duele un poco, pero bien.
Mamá: ¿Estás disfrutando, a pesar de todo?

Yo: Bueno, más o menos. No es lo mismo. Me aburre un poco quedarme mirando... y me da un poco de rabia no poder correr las últimas carreras, con todo lo que entrené...

Mamá: Ay, no.. Se fuerte y disfruta de lo que hagan tus compañeros... ¡Y piensa que si no participas seguro que no quedas la última...!

Yo: No tiene gracia....

Mamá: Perdona, amor. Perdona. Era una broma...

Te mando muchos besos de papá, Manu

y la abuela.

Yo: ¿De Manu también? ¿Lo tienes ahí?

Mamá: Bueno, no. Pero vaya, ayer se interesó

mucho por lo de tu pierna... Y Lentejas

y Rich también os echan mucho de menos

a ti y a Cocodrolo.

Yo: Tengo que colgar...

Mamá: Adiós, princesa. ¡Disfruta!

He colgado con añoranza. He pensado que tenía
que esforzarme por disfrutar y casi me caigo
por la escalera. ¡Disfruta, Lía! Al llegar abajo la
cocinera me ha dicho que estaban en el campo
de futbol... Para mí, a cuatro mil kilómetros
de la casa... **¡Disfruta, Lía!** Y he ido para
allá esperando llegar antes de que el partido
acabara. ¡Aunque no ha sido así. Pero yo disfruto
mogollón! ¡Que conste! 😊

Esta noche había baile. Como yo no podía bailar
me he dedicado a poner la música y a jugar

con lo que había en el ordenador de los profes. Música de hace dos siglos, pero bueno, no me quejaré porque ya llevo unas cuantas. Cuando he puesto una un poco lenta y he visto que Fabián y Ana se miraban, he cambiado rápidamente a "Bonga Bonga Dance". No me preguntes por qué.

Lo único bueno que he conseguido hoy ha sido andar cinco pasos con las muletas sin tener que parar. Estupendo. Muy útil para la vida de una friki. #Oleyo

Viernes, 13 de junio

Esta mañana se celebraban las carreras de larga distancia, media y cien metros. Me he dedicado a animar y a ofrecer agua en la carrera larga, por la que había estado entrenando. Ha ganado Felipe, que ha llegado cansado pero envidiablemente bien. Me preguntaba cómo habría quedado yo, y no tenía la menor idea de cómo calcularlo. Así que he pensado en una manera infalible pero secreta. Me he dirigido a Clari:

Yo: Di un número del 1 al 32.

Clari: ¿Para qué? ¿Es un sorteo?

Yo: No te lo puedo decir.

Clari: Pueeesss... ¡el 32!

Yo: ¡Jolines!

Clari: ¿No te va bien? Pues espera que me lo pienso... ¡el 5!

Yo: ¡Perfecto! Gracias.

Jaja. Habría quedado quinta. Lo ha dicho la profe de gimnasia. ☺

Después, cuando debía correrse la carrera de media distancia, la gente ha empezado a mirarse y a actuar de una forma un tanto rara, como disimulando, como si estuvieran ocultando alguna cosa a alguien... Alguien que era claramente YO, Lía Abellán.

Entonces ha aparecido una furgoneta blanca por el camino de acceso a la casa. Una furgo que, por las sonrisas que ha suscitado, todos estaban esperando. Me han pedido que no me moviera, y se han ido TODOS hacia ella. ¿Para qué? ¿Qué me iban a traer? ¿Un ramo de flores? ¿Un pastel para endulzarme la estancia?

No. Nada de todo eso. No lo adivinarías nunca, ni en un año. (Bueno, ni en mil años, eres un diario). Cuando mis compañeros han aparecido de nuevo de detrás de la furgoneta... muchos de ellos iban con... **¡MULETAS!**

Compañeros y compañeras apoyándose en su pareja de muletas se acercaban a mí en lo que parecía un sueño de los RAROS. Yo solo podía decir "Pero, pero, pero..." ¿De dónde las habían sacado? ¿Y para qué? Y entonces se han acercado las profesoras y me han dicho que **MIS COMPAÑEROS QUERÍAN RETARME A UNA CARRERA DE CIEN METROS.**

¡UAAAAAALAAAA! ¡Qué bueno! ¡REGALAZO!

Pero había un segundo regalo... Y era aún mejor... He escuchado que se cerraba la puerta de la furgoneta y he visto cómo se acercaba un chico. Esa manera de andar me sonaba de algo... **¡Manu!** Mi hermano se había sacado, por fin, el carnet de conducir (regalo de papá y mamá) y... ¡se había puesto al volante durante un largo trecho solo para venir a verme!

He "corrido" hacia él y después de darme un gran abrazo me ha contado que habían sido mis amigas y amigos quien, al verme ayer tan triste por no poder correr se habían acordado de que papá trabaja en el hospital... y habían pensado que, tal vez... les podrían hacer un pequeño

préstamo por un día... Al final ha resultado que
papá, para unas horas, ha conseguido ¡Diez pares!
Jaja. Pero ha sido Manu quien se ha ofrecido
a traerlas porque tenía ganas de verme después
de nuestra agria despedida.

Ya habían pensado cómo sería la carrera. Sería
una carrera de relevos y todos menos yo irían
con un pie atado detrás de la rodilla. Los equipos

serían de tres personas y podíamos hacerlos libremente: Sin dudarlo un momento, hoy sí, nos hemos juntado las Invencibles.

Antes de la carrera, la gente intentó entrenar un rato... Y se dieron cuenta de que andar un momento con muletas puede ser fácil, pero andar con agilidad durante un trecho, ya no lo es tanto...

Nos hemos situado todos en posición de salida, y la primera carrera ha sido un auténtico desastre. La mayoría de participantes, incluidos Ana, Roberto y Fabián han rodado por el suelo, y al tener la pierna atada no les era fácil levantarse. Al final le han ido cogiendo el tranquillo, pero llegaban lentamente y cansados. Cuando ha llegado el turno de Choco ha pasado exactamente lo mismo. Casi todos por el suelo.

Y finalmente tocaba la tercera tanda, en la que yo haría mi relevo. Cuando Choco me ha pasado el testigo, me he puesto a dar zancadas muy rápidamente y cuando he llegado a la portería donde tenía que girar me he dado cuenta de que tenía a todos los rivales o por el suelo o a kilómetros de distancia. Estaba claro que mi práctica con las muletas me daba ventaja ante los demás. Entonces he esperado a que todos llegaran a la portería y hemos empezado otra vez. He ido más tranquila que antes pero he ganado igualmente, sin apenas proponérmelo.

Las Invencibles me han abrazado, también lo ha hecho Manu, y Clari ha venido a felicitarnos, aprovechando para explicar una vez más, y delante de todos, la importancia de una buena preparación y entreno. Yo había ganado porque, sin saberlo, me había entrenado mucho más que los demás participantes.

No mucho tiempo después, Manu se ha marchado con las muletas y ha aprovechado para llevarse a Cocodrolo en la furgo. Nosotros, después de recoger nuestras cosas y despedirnos de Manuela, hemos montado en el autocar que nos llevaría de vuelta. Se acabaron las colonias, y al volver, se acabará pronto el instituto. Se acabó mi primer curso de 1.º de ESO. No ha estado nada mal.

En el autocar todos repasábamos lo que nos había gustado más y menos de estos días de deporte y naturaleza. Lo que más: el deporte y la naturaleza. Lo que menos: volver a casa.

Al llegar a la ciudad maloliente y llena de humo, me esperaban mamá y papá, que me han pedido

que, por favor, les contara cómo había ido
TODO, cosa que me daba una pereza ENORME
a causa del cansancio.

En casa, Rich y Lentejas me han recibido con
las patas abiertas. También la abuela y, cómo no,
Manu y Cocodrolo, que aún tenía entre las uñas
un poco de hierba fresca de la montaña.

Sábado, 12 de junio

Hoy al despertarme he mirado a mi derecha esperando ver a Choco vistiéndose para ir a desayunar. En vez de eso, he visto una caja con una marioneta desmontada y una sábana doblada en la que se veía una pregunta en grande:

"Si no es entre todos ¿Cómo es?"

Como vuelvo a tener móvil, he querido aprovecharlo.

Mensaje a Ana, Choco, Fabián, Roberto y Felipe:
¿Hacemos algo juntos este verano?

☺

¿Conoces los
dos diarios
de **Lía...?**

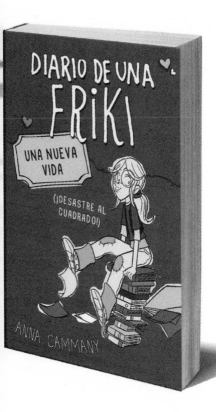

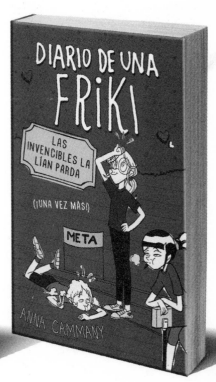

El papel utilizado para la impresión de este libro
ha sido fabricado a partir de madera
procedente de bosques y plantaciones
gestionados con los más altos estándares ambientales,
garantizando una explotación de los recursos
sostenible con el medio ambiente
y beneficiosa para las personas.
Por este motivo, Greenpeace acredita que
este libro cumple los requisitos ambientales y sociales
necesarios para ser considerado
un libro «amigo de los bosques».
El proyecto «Libros amigos de los bosques» promueve
la conservación y el uso sostenible de los bosques,
en especial de los Bosques Primarios,
los últimos bosques vírgenes del planeta.

ESTE LIBRO HA SIDO IMPRESO
EN LOS TALLERES DE
CAYFOSA